DZIENNIK CWANIACZKA

PRZYKRA PRAWDA

W SERII:

Dziennik cwaniaczka • Rodrick rządzi • Szczyt wszystkiego • Ubaw po pachy • Przykra prawda Biała gorączka • Trzeci do pary • Zezowate szczęście • Droga przez mękę • Stara bieda Ryzyk-fizyk • No to lecimy • Jak po lodzie Totalna demolka • Zupełne dno • Krótka piłka Dziennik cwaniaczka. Zrób to sam!

PRZECZYTAJ TAKŻE:

Dziennik Rowleya. Zapiski chłopca o złotym sercu

Teraz Rowley. Ahoj, przygodo!

Rowley przedstawia. Strasznie straszne opowieści

DZIENNIK CWANIACZKA

PRZYKRA PRAWDA

Jeff Kinney

Tłumaczenie
Joanna Wajs

Nasza Księgarnia

Tytuł oryginału angielskiego: *Diary of a Wimpy Kid: The Ugly Truth*

First published in the English language in 2010 by Amulet Books, an imprint
of Harry N. Abrams, Incorporated, New York.

Original English title: *Diary of a Wimpy Kid: The Ugly Truth*

Book design by Jeff Kinney
Cover design by Chad W. Beckerman and Jeff Kinney

DLA TOMASA

WRZESIEŃ

Czwartek

Mija prawie dwa i pół tygodnia, odkąd się pokłóciłem z moim obecnie byłym najlepszym przyjacielem, Rowleyem Jeffersonem. Szczerze mówiąc, myślałem, że do tego czasu Rowley przyczołga się tutaj, błagając o wybaczenie, ale z jakiegoś powodu to jeszcze nie nastąpiło.

Zaczynam się niepokoić, bo początek szkoły za kilka dni i jeśli nasza przyjaźń ma przetrwać, coś musi się wydarzyć naprawdę szybko. Byłoby bardzo NIEFAJNIE, gdyby doszło do najgorszego, bo w sumie Rowley i ja świetnie się razem bawimy.

Teraz, kiedy nasza znajomość przeszła do historii, znów jestem gorącym towarem na rynku najlepszych przyjaciół. Jedyny problem polega na tym, że zainwestowałem cały swój czas w Rowleya i nie mam zapasowego kumpla, który mógłby zająć jego miejsce.

Dwie najsensowniejsze kandydatury to Christopher Brownfield i Tyson Sanders. Tylko że każdy z tych gości jest specyficzny.

Ostatnie tygodnie lata spędziłem z Christopherem, głównie dlatego, że ten człowiek działa jak magnes na komary. Ale Christopher to raczej kumpel na jedno lato, nie na całoroczny związek.

Tyson jest dosyć fajny i lubimy te same gry wideo. Ale opuszcza spodnie do kostek za każdym razem, kiedy korzysta z pisuaru, i nie wiem, czy ja to na dłuższą metę wytrzymam.

Poza Christopherem i Tysonem jedyny dzieciak w moim wieku, który nie jest jeszcze z nikim sparowany, to Fregley. Ale jego skreśliłem już dawno temu.

W każdym razie jestem gotów dać ostatnią szansę Rowleyowi. Ale jeśli chce uratować tę przyjaźń, lepiej niech się pospieszy.

Bo w obecnej sytuacji nie wypadnie zbyt korzystnie w mojej autobiografii.

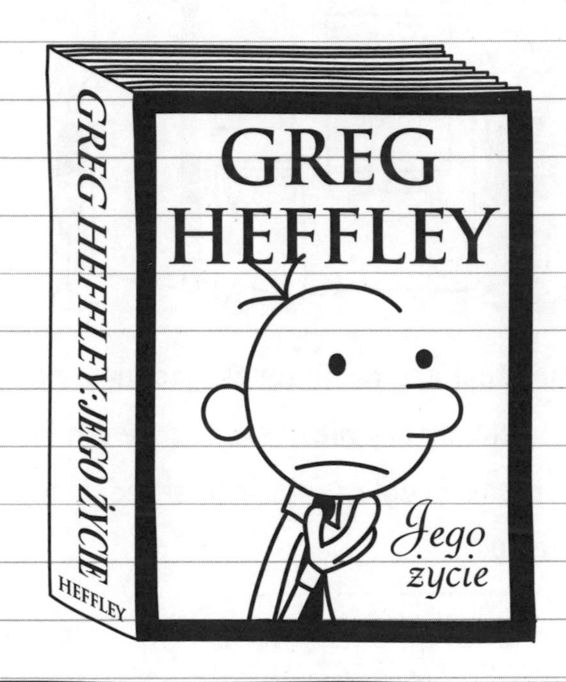

ROZDZIAŁ 8

DZIECIŃSTWO

Ten koleś mieszkał w sąsiedztwie. Wydaje mi się, że miał na imię Rupert, Roger albo jakoś podobnie.

Ale znając mojego pecha, pewnie zdobędę sławę i pieniądze, a Rowley zrobi karierę TAK CZY INACZEJ.

Sobota

Powód, dla którego sprawa z Rowleyem utknęła w martwym punkcie, jest następujący: on już sobie znalazł zastępczego najlepszego przyjaciela. A właściwie jego RODZICE się o to postarali.

Przez ostatnie tygodnie Rowleya widywano w towarzystwie nastolatka o imieniu Brian.

Zawsze kiedy przechodzę obok trawnika przed domem Jeffersonów, mój ekskumpel bawi się piłką albo frisbee z gościem, który wygląda, jakby chodził do ogólniaka albo na uniwerek.

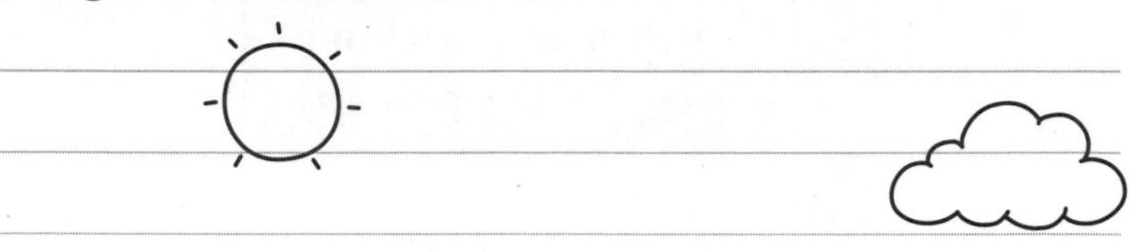

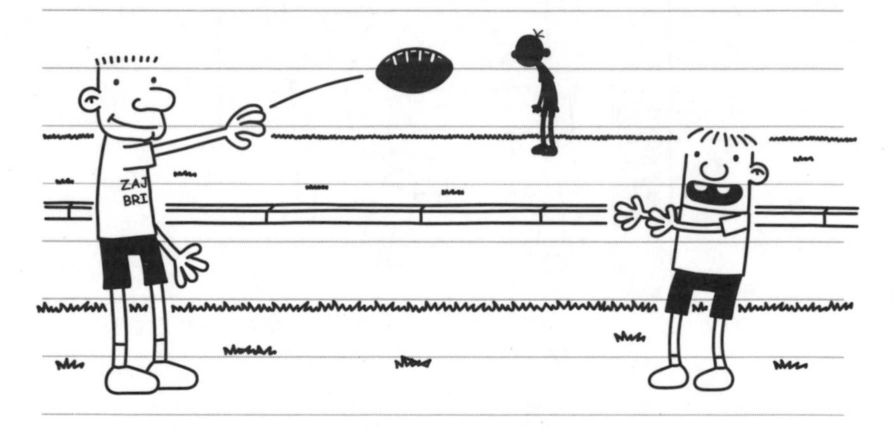

No cóż, przeprowadziłem małe śledztwo i dowiedziałem się, że ten cały Brian nie jest żadnym dzieciakiem z sąsiedztwa. To pracownik firmy Zajefajny Brian, która oferuje swoim klientom coś w rodzaju starszego brata do wynajęcia.

I jestem na sto procent pewny, że ten facet nawet nie nazywa się Brian.

Mama powiedziała, że według niej Zajefajny Brian jest świetną sprawą, bo pozwala dzieciakom odnaleźć „idealne ja". Co mnie niesamowicie wkurza, bo to zawsze JA byłem idealnym ja Rowleya.

A teraz rodzice Rowleya płacą jakiemuś gościowi za to, co ja przez te wszystkie lata robiłem ZA DARMO.

W dodatku Rowley prawdopodobnie nawet nie wie, że jego starzy bulą kasę za spędzanie z nim czasu. Chociaż nie sądzę, żeby specjalnie się przejął, gdyby poznał PRAWDĘ.

Dzisiaj widziałem Rowleya z innym Zajefajnym Brianem, czyli pewnie ten pierwszy miał wolne. Ale na mój gust Rowley w ogóle się nie zorientował.

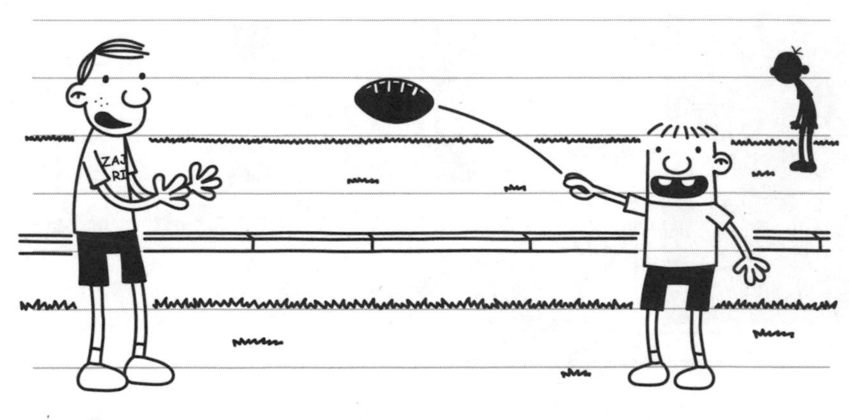

Wtorek

Dzisiaj był pierwszy dzień szkoły. Nie chciałbym zapeszyć, ale wiele wskazuje na to, że to będzie dla mnie nadzwyczajny rok.

W auli rozdano nam podręczniki na ten semestr. Szkoła nie może sobie pozwolić na kupowanie każdego roku nowych, więc na ogół dostajemy takie z drugiej ręki.

A kiedy trafia do ciebie książka, która miała dziesięciu właścicieli, nie bardzo wiesz, czego właściwie się uczyć.

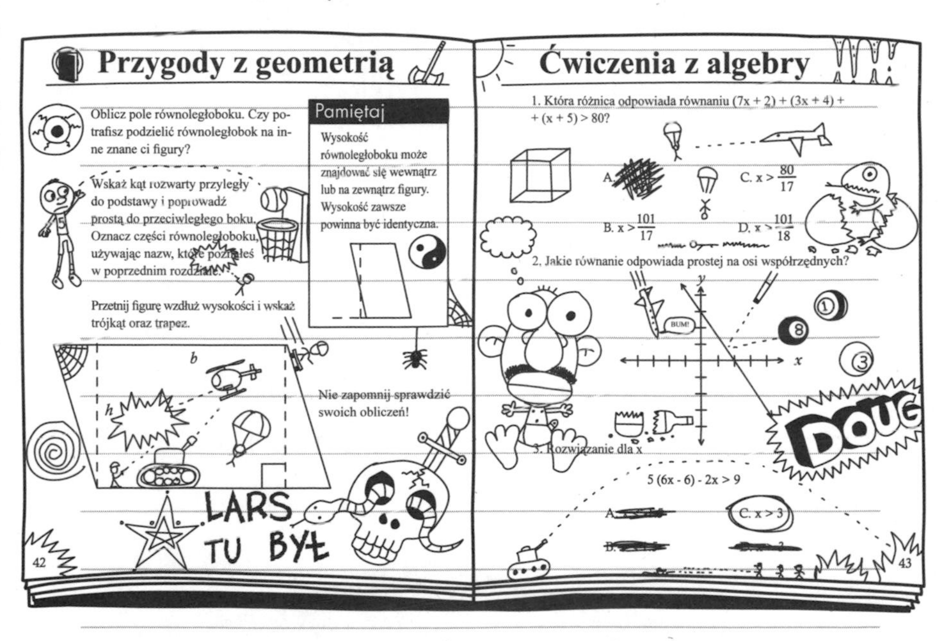

Zwykle mam prawdziwego pecha do poprzednich użytkowników. W zeszłym roku dostałem podręcznik do matematyki po Bryanie Goocie.

A to raczej nie przysporzyło mi popularności na szkolnym korytarzu.

Ale w tym roku niesamowicie mi się poszczęściło. Mój podręcznik do matematyki należał wcześniej do Jordana Jury'ego. Jordan Jury to najpopularniejszy gość w klasie wyżej, więc chodzenie z jego książką pod pachą MUSI się jakoś przełożyć na moją sytuację.

Jednym z powodów ogromnej popularności Jordana są te jego słynne imprezy, na które naprawdę trudno się wkręcić. Ale coś czuję, że dzięki podręcznikowi do algebry zostanę zauważony.

A skoro już mowa o popularnych dzieciakach, dzisiaj podczas lunchu siedziałem obok Bryce'a Andersona i jego paczki. Bryce to taki Jordan Jury mojego rocznika i ma kumpli, którzy zawsze mu przytakują.

I ci goście daliby się za Bryce'a pokroić, mimo że robi z nich kompletnych idiotów.

Widzicie, Bryce Anderson wpadł na genialny pomysł. WCALE nie potrzebuje najlepszego przyjaciela, bo ma swój fanklub, który nosi go na rękach. Mnie i Rowleyowi nie mogło się udać, ponieważ nasz związek opierał się na partnerstwie, a taki model nie sprawdza się na dłuższą metę.

Piątek

Dzisiaj w szkole słyszałem, jak Rowley mówi jakiemuś dzieciakowi, że idzie wieczorem na koncert rockowy. Muszę przyznać, że poczułem ukłucie zazdrości, bo sam nigdy nie byłem na prawdziwym koncercie. Ale od kiedy wiem, kto gra, jestem zadowolony, że nie dostałem zaproszenia.

Jednak to trochę denerwujące, że Rowley bawi się lepiej niż ja. I w ogóle wygląda na to, że WSZYSCY bawią się ostatnio lepiej ode mnie.

Niektóre osoby z mojego rocznika umieszczają swoje fotki w sieci.

I stąd wiem, że robią DUŻO ciekawsze rzeczy.

Nie chcę, aby ludzie myśleli, że MOJE życie jest do niczego, więc postanowiłem zrobić sobie kilka zdjęć, na których widać, jak ekscytująco spędzam czas.

Wszystko, czego potrzeba, żeby twoje życie wyglądało na totalny odjazd, to aparat cyfrowy i Photoshop.

Wieczorem właśnie montowałem scenkę z szalonego sylwestra, kiedy nakryła mnie mama.

No i super. Mama nie pozwoli mi umieścić zdjęć w sieci z powodu „prywatności" i tak dalej. Albo raczej dlatego, że jeszcze pamięta, jak pozwoliła mojemu starszemu bratu, Rodrickowi, umieścić w necie JEGO zdjęcia.

Rodrick próbuje znaleźć pracę, bo chce kupić nową perkusję, ale nikt go nie zatrudni. Mama mu powiedziała, że dzisiaj szefowie sprawdzają osoby starające się o pracę i że te zdjęcia prawdopodobnie zaprzepaściły jego szanse.

Wtedy Rodrick podmienił fotki swojej kapeli na coś takiego.

Środa

W tym roku wszyscy z mojego rocznika muszą chodzić na naukę o człowieku dla zaawansowanych. To jakaś supertajna wiedza i chyba według nauczycieli nie byliśmy na nią dotąd gotowi.

Na pierwszych zajęciach chłopaki i dziewczyny siedzieli razem, ale dzisiaj siostra Powell podzieliła nas na grupy. Wysłała dziewczyny do klasy pani Gordon, a nam puściła film na wideo.

Ten film ma na oko jakieś trzydzieści lat, więc jestem pewien, że tata też go oglądał, kiedy był w moim wieku.

Nie zamierzam opisywać wszystkiego, bo to było naprawdę obrzydliwe. Jeśli chcecie znać moje zdanie, niektóre z tych rzeczy nie nadawały się do pokazywania w klasie.

Rowley nawet nie dotrwał do końca. Zemdlał po dwóch minutach, kiedy padło słowo „perspiracja".

Szczerze mówiąc, nie sądzę, aby Rowley dojrzał do tych rzeczy. On praktycznie jest jeszcze dzieckiem. Powiedział mi kiedyś, że nie zadaje się z ludźmi z wyższych klas, bo nie chce od nich złapać „pokwitania".

Kiedy teraz o tym myślę, dochodzę do wniosku, że od jakiegoś czasu nie widziałem Zajefajnego Briana. Ciekawe, czy Rowley jego też unika, żeby się nie zarazić dojrzałością.

Podobny numer wyciął w zeszłym roku na nauce o człowieku, kiedy przerabialiśmy szkodliwość papierosów. Nauczycielka powiedziała, że nigdy nie wiadomo, kto cię będzie nakłaniać do palenia, i że to może nawet być twój najlepszy przyjaciel.

Kiedy Rowley TO usłyszał, przechodził na mój widok na drugą stronę ulicy przez dobry MIESIĄC.

MNIE naprawdę żaden nauczyciel nie musi przekonywać o szkodliwości papierosów. Widziałem to na własne oczy, kiedy w Święto Dziękczynienia wpadł do nas dziadek.

W każdym razie sądzę, że Rowley jest po prostu jednym z tych dzieciaków, które zawsze będą o kilka lat zapóźnione względem swoich dojrzewających rówieśników. On nie umie nawet zawiązać sobie butów, bo należy do ludzi, którzy wszystko mają na rzepy.

W zeszłym roku mama kupiła mu tenisówki ze sznurowadłami, no i bez przerwy musiałem robić za niańkę.

Fakt, że Rowley mnie podziwia, bo potrafię zasznurować sobie buty, powinien był dać mi do myślenia.

Czwartek

Dzisiaj czytałem komiks w gazecie i zwróciłem uwagę na jedno ogłoszenie.

Firma od lodów Bajecznie Brzoskwiniowych szuka nowej twarzy.

CZY TWOJE DZIECKO MOŻE BYĆ

BAJECZNIE BRZOSKWINIOWE?

Casting w Centrum Handlowym Liberty Street już w tę sobotę!

Bajecznie Brzoskwiniowe mają taką reklamę, która leci w kółko w telewizji. Występuje w niej piegowaty dzieciak z piskliwym głosem.

Ten Bajecznie Brzoskwiniowy Dzieciak rozczulał kiedyś wszystkich, ale z biegiem lat zaczął wyglądać trochę podejrzanie.

No i chyba szukają kogoś, kto zająłby jego miejsce.

Cóż, jestem IDEALNY do tej roli. Po pierwsze, KOCHAM jeść lody, więc zagranie tego nie byłoby dla mnie żadnym problemem. Po drugie, nie miałbym nic przeciwko częstym nieobecnościom w szkole związanym z moimi Bajecznie Brzoskwiniowymi zobowiązaniami.

A poza tym nie musieliby się martwić, że zrobię się za stary na rolę. Spokojna głowa, będę zażywał wszystko, co spowalnia procesy starzenia.

Jedyną przeszkodą, jaką widzę, jest to, że tata NIENAWIDZI reklamy Bajecznie Brzoskwiniowych, bo ten piegus działa mu na nerwy. Więc chyba nie będzie zachwycony, jeśli zostanę ich nową twarzą.

Coś w tym gościu okropnie tatę irytuje. Mam wrażenie, że nie cierpi go bardziej niż „Słodkiego urwisa", a to mówi samo za siebie.

Za każdym razem, kiedy tata widzi w telewizji Bajecznie Brzoskwiniowe, pisze list do szefów firmy o tym, że ta reklama doprowadza go do szału i że nigdy nie kupi żadnego z ich produktów.

Kilka tygodni później przychodzi odpowiedź od Bajecznie Brzoskwiniowych i jest to zawsze talon na darmowe lody.

Jeśli nic się nie zmieni, wkrótce będziemy musieli kupić drugą zamrażarkę na te wszystkie Bajecznie Brzoskwiniowe.

Sobota

Wczoraj wieczorem powiedziałem mamie o castingu, a ona uznała to za „szansę, której nie można zmarnować". Ale zaraz się okazało, że myślała o moim młodszym bracie, Mannym.

I faktycznie, dzisiaj rano mama i Manny pojechaliby beze mnie, gdybym nie dogonił ich w ostatniej chwili.

Mama wyglądała na zdziwioną, że chcę zostać Bajecznie Brzoskwiniowym Dzieciakiem. Powiedziała, że mogę być „za duży". Najpierw pomyślałem, że to śmieszne, ale kiedy zobaczyłem swoich rywali, zacząłem rozumieć, o co jej chodziło.

Uznałem jednak, że jury zawsze może oszaleć na moim punkcie i mimo wszystko dać mi rolę. Poza tym miałem pewną przewagę nad konkurentami, bo byłem jedynym, który potrafił przeczytać swoją kwestię.

W kolejce stało ze dwieście dzieciaków i zdałem sobie sprawę, że jeśli chcę dostać tę pracę, muszę jakoś wyróżnić się z tłumu. Postanowiłem, że wypowiadając hasło reklamowe, będę wycinał hołubce.

Ale kiedy wreszcie przyszła kolej na mnie, sprawy wymknęły się spod kontroli.

Zorientowałem się, że moje szanse na zdobycie roli nie są duże, kiedy ludzie od castingu podziękowali mi, nie pytając nawet, jak się nazywam.

Jako że moje pięć minut mijało, zrobiłem, co mogłem, aby dopomóc szczęściu.

Ale wszystko wskazuje na to, że rola przypadnie komuś młodszemu, co uważam za wielką niesprawiedliwość.

To nie był zresztą pierwszy raz, gdy doświadczyłem dyskryminacji ze względu na wiek. W październiku zeszłego roku ja i Rowley usłyszeliśmy, że lokalna stacja telewizyjna będzie kręcić na farmie Czerwone Jabłuszko materiał o dzieciakach drążących dynie, robiących strachy na wróble i takie tam.

Wiedzieliśmy, że to dla nas niesamowita okazja dostania się do telewizji, więc zajęliśmy miejsce przed kamerą i daliśmy z siebie wszystko.

Ale pięć sekund później ludzie z telewizji nas wykopali.

A wtedy spędzili na nasze miejsce jakieś maluchy i one zrobiły DOKŁADNIE to samo.

I oczywiście pokazali je w wieczornych wiadomościach.

Prawdę mówiąc, to dzieje się nie od dzisiaj. A najgorszy obrót sprawy przybrały w mojej własnej rodzinie.

Do ósmego czy dziewiątego roku życia byłem gwiazdą każdej uroczystości. Krewni po prostu nie mogli się mną nacieszyć.

Ale po przyjściu na świat Manny'ego nastąpiły nieodwracalne zmiany.

Dzieci nikt nie uprzedza, że kiedyś im minie termin ważności. Jednego dnia jesteś ulubieńcem mas, a drugiego nieświeżą kanapką.

Chyba zaczynam rozumieć, dlaczego Rodrick ciągle chodzi wściekły. Od bardzo dawna nie jest w centrum uwagi i wierzcie mi, że najlepsze lata ma już za sobą.

Prawdziwym szczęściarzem jest Rowley. Jako jedynak nie musi się martwić, że młodsze rodzeństwo podłoży mu świnię.

Poniedziałek

Dzisiaj podczas obiadu tata powiedział, że jego młodszy brat, wujek Gary, zaręczył się ze swoją dziewczyną Sonją. To w sumie superwiadomość, ale wujek Gary żenił się już trzy razy, więc rodzina jest przyzwyczajona. Jeśli ktoś chce wiedzieć, ile urośliśmy przez ostatnie lata, nie musi szukać centymetra – wystarczy rzut okiem na zdjęcia ze ślubów wujka Gary'ego.

No więc myślę, że wszyscy są już tym trochę zmęczeni. Kiedy wujek Gary żenił się po raz TRZECI, mamie nawet nie chciało się wymienić fotografii ślubnej na kominku. Po prostu do poprzedniej panny młodej przykleiła główkę aktualnej.

Wujek Gary jest zresztą bardzo fajny. Tylko zbyt szybko się angażuje. Poprosił o rękę swoją pierwszą żonę, Lindę, po dwóch miesiącach znajomości, tak że przed dniem ślubu nie zdążyła się nawet dowiedzieć, gdzie pracuje jej narzeczony.

Podobno druga żona wujka Gary'ego, Charlene, myślała, że wychodzi za bogatego faceta z powodu pewnego nieporozumienia na ich drugiej randce.

Tyle tylko, że wujek Gary miał czterdzieści pięć dolarów, nie czterdzieści pięć TYSIĘCY. Ale Charlene nie połapała się w tym do czasu, gdy trzeba było zapłacić za muzykę na weselu.

Tata zawsze mówi, że wujek Gary musi „dojrzeć" i przestać się zachowywać jak dziecko. Ale ja na jego miejscu nie liczyłbym na to specjalnie.

Wtorek

Ślub wujka Gary'ego został zaplanowany na listopad, a przyjęcie weselne odbędzie się u mojej prababci Buni, jak ostatnim razem.

Bunia ma dziewięćdziesiąt pięć lat, ale nadal mieszka w wielkim domu, w którym dorastała. Jest kimś w rodzaju głowy rodu Heffleyów.

Bunia to jedna z ostatnich osób na świecie, które piszą listy. A kiedy ONA pisze do ciebie list, oczekuje, żebyś ODPOWIEDZIAŁ.

Próbowałem jej wyjaśnić, że dzieci w moim wieku nie znają się na znaczkach, adresach zwrotnych i tych wszystkich rzeczach, ale nie chciała słuchać.

Na poprzednim ślubie wujka Gary'ego Bunia dała mi wzór listu z kopertą, na której był już jej adres i znaczek, żebym nie miał żadnej wymówki.

G. HEFFLEY
12 SURREY STREET

BUNIA HEFFLEY
38 BAC

Droga Buniu!

Twój kochający
Gregory

Ale ja NADAL nie zapełniłem tego pustego miejsca i nie wysłałem listu. No więc teraz, kiedy TYLKO przechodzę obok biurka, mam wyrzuty sumienia.

Bunia jest SPECJALISTKĄ od wzbudzania poczucia winy. Podczas ostatniego Święta Dziękczynienia położyłem poduszkę-pierdziuszkę na jej krześle, a ona na niej usiadła.

Kilka dni później wszyscy otrzymali odręcznie napisane przeprosiny od Buni.

Drodzy Krewni!

Piszę, aby Was przeprosić za niefortunny wypadek, jaki miał miejsce zaraz po tym, jak nasza rodzina odmówiła modlitwę podczas Święta Dziękczynienia. Z upływem czasu coraz trudniej mi kontrolować własne ciało i obawiam się, że operacja, którą niedawno przeszłam, również się przyczyniła do mojego małego „bączka". Mam nadzieję, że to przykre wydarzenie nie będzie Waszym najżywszym wspomnieniem z tej skądinąd cudownej i podniosłej uroczystości.

Wasza kochająca
Bunia

Czasami zadaję sobie pytanie, czy Bunia się aby nie zgrywa i nie robi podobnych rzeczy specjalnie. Na ostatnią Wielkanoc zaprosiła całą rodzinę do siebie, ale każdy miał mnóstwo własnych zajęć i jakoś się wykręcił.

Wtedy w Wielką Niedzielę Bunia zadzwoniła do taty i powiedziała, że kupiła zdrapkę i wygrała główną nagrodę – dziesięć milionów dolarów. Wieść błyskawicznie obiegła rodzinę i wszyscy w mgnieniu oka znaleźli się w domu Buni.

Ale wtedy się okazało, że ta zdrapka wcale nie była zwycięska.

Bunia najwyraźniej nie zmartwiła się szczególnie, że nie została milionerką, a ja mam wrażenie, że dostała to, na czym zależało jej NAJBARDZIEJ.

Jeśli tylko dociągnę do dziewięćdziesiątki piątki, zaręczam, że ja też będę wykręcał ludziom numery.

Jest jednak coś, co mnie niepokoi w związku z listopadową imprezą u Buni. A mianowicie „Rozmowa". Gdy ktoś w rodzinie zbliża się do mojego wieku, Bunia prosi go do siebie i przeprowadza z nim rozmowę nie wiadomo o czym. Myślę, że może chodzić o jedną z tych tak zwanych dorosłych spraw.

Ostatnią osobą, która przeżyła „Rozmowę" z Bunią, był Rodrick, a ja jestem następny w kolejce. Nie tracę nadziei, że wujek Gary zerwie zaręczyny i nigdzie nie pojedziemy, bo na samą myśl o „Rozmowie" dostaję gęsiej skórki.

Czwartek

Mamy nową nauczycielkę matematyki. Nazywa się pani Mackelroy.

Dotąd uczyła przedszkolaki i chyba nie przepada za gimnazjalistami.

Matematyka wypada zaraz po wuefie, więc gdy wchodzimy do klasy pani Mackelroy, wszyscy jesteśmy spoceni.

Pani Mackelroy poskarżyła się dyrektorowi. Powiedziała, że nie może prowadzić lekcji, kiedy w klasie śmierdzi jak w małpiarni, a on wydał zarządzenie, że mamy po wuefie brać prysznic.

Cóż, mogę powiedzieć tylko tyle, że większość chłopaków z mojej klasy nie była zachwycona tą decyzją.

Jedynie Roger Townsend w ogóle się nie przejął, ale on dwa razy powtarzał rok i już jest właściwie dorosłym facetem.

Reszta postanowiła, że będzie udawać. Kiedy wczoraj skończył się wuef, wszyscy po kolei zmoczyliśmy sobie włosy, żeby WYGLĄDAŁO na to, że się kąpaliśmy.

Nie wiem, czy pani Mackelroy się nabrała, ale nie sądzę, żeby zamierzała przeprowadzić śledztwo w męskiej przebieralni.

Sytuacja z prysznicem przypomniała mi coś, co się zdarzyło tego lata, kiedy ja i Rowley byliśmy jeszcze kumplami. Codziennie chodziłem wtedy do niego i jedyny problem polegał na tym, że po drodze musiałem minąć dom Fregleya.

Pamiętałem, co kiedyś powiedział Rodrick. Że całą drogę od naszego domu na szczyt wzgórza można pokonać, czołgając się przez kanalizację.

Postanowiłem sprawdzić, czy to prawda, i wyobraźcie sobie, że tak. Było strasznie ciemno i nieprzyjemnie w tym kanale, ale się opłaciło ze względu na Fregleya.

Do domu też wróciłem kanałem.

Ale chyba powinienem był umyć się szlauchem czy coś, bo mama patrzyła na mnie podejrzliwie, kiedy przechodziłem przez próg.

Wiedziałem, że dostanie szału, jeśli odkryje, że czołgałem się przez kanalizację, więc postanowiłem trzymać język za zębami. Kazała mi wziąć prysznic przed obiadem, a kiedy wyszedłem z łazienki, coś leżało na moim łóżku.

Otworzyłem paczuszkę i zobaczyłem dezodorant i książkę.

Dezodorant postawiłem na komodzie, ale książkę ukryłem w koszu na śmieci. Już ją kiedyś widziałem. Mama chyba dała identyczny poradnik Rodrickowi, kiedy był w moim wieku, bo znalazłem go pewnego razu w szufladzie z różnymi rupieciami. I wierzcie mi, nie muszę oglądać tych obrazków po raz drugi.

Co gorsza, mama wybrała mnie sobie na temat artykułu do rubryki o wychowaniu dzieci, którą prowadzi w lokalnej gazecie. Nie użyła wprawdzie mojego imienia, ale chyba nie potrzeba detektywa, żeby się domyślić, o kim pisała.

Dojrzewanie może być trudne

Susan Heffley

Kiedy dziecko zaczyna zauważać zmiany, które następują w okresie pokwitania, przeobrażające się ciało może być dla niego czymś nieprzyjemnym, dziwnym, a nawet przerażającym. Lecz, właściwie pokierowany, nastolatek nauczy się cieszyć owym wstępem do dojrzałości, a nawet go celebrować. Mój drugi pod względem wieku syn właśnie rozpoczął tę cudowną podróż ku nowemu

Niedziela

Na dzisiejszy wieczór mama zwołała „zebranie domowników". Zawsze gdy to robi, należy się spodziewać kłopotów. Ostatnim razem zebranie było poświęcone sytuacji w łazience. Mama powiedziała, że ma dosyć mycia podłogi wokół sedesu z powodu naszego „kiepskiego celu".

Wiem dokładnie, o czym mówi, bo kiedyś spóźniłem się na autobus tylko dlatego, że musiałem skorzystać z toalety po Mannym.

Mogę powiedzieć jedno: to nie ja jestem przyczyną problemu. Natomiast Rodrick często nie zapala nawet światła, kiedy wchodzi do łazienki.

Mama oświadczyła, że wprowadza nową zasadę. Odtąd my, mężczyźni, mamy siadać za każdym razem, gdy korzystamy z toalety, nieważne, co zamierzamy tam robić.

Nikomu nie spodobał się TEN pomysł. Rodrick zasugerował, żebyśmy po prostu kupili pisuary, ponieważ NAS jest więcej niż JEJ. A poza tym wtedy moglibyśmy używać toalety jednocześnie.

Ale mama powiedziała, że to byłoby „w złym guście", i skorzystała ze swojego prawa weta, aby zablokować projekt Rodricka.

Myślałem, że dzisiejsze zebranie domowników będzie dalszym ciągiem zebrania łazienkowego, bo żaden z nas nie przestrzega „siedzącej" zasady i sprawy wyglądają gorzej niż kiedykolwiek. Ale okazało się, że chodzi o coś zupełnie innego.

Mama oświadczyła, że wraca na studia i że na początku będzie mieć kilka zajęć w tygodniu.

Byłem totalnie zaskoczony jej pomysłem. Mama ZAWSZE jest w domu, kiedy wracam po lekcjach, i ten układ bardzo mi pasuje.

Ale ona stwierdziła, że po tych wszystkich latach siedzenia z nami w domu musi coś zrobić dla swojego umysłu. Więc pójdzie na parę wykładów w tym semestrze, a potem zobaczymy.

Chyba rozumiem, czemu mama chce się wyrwać z chaty. Gdybym ja robił rzeczy, które ona robi każdego dnia, prawdopodobnie też bym chodził po ścianach.

Mama dodała jeszcze, że my, mężczyźni, będziemy musieli sami sobie gotować obiady kilka razy w tygodniu i przejąć niektóre jej obowiązki.

Jeden z tych obowiązków to szykowanie lunchu do szkoły dla mnie, Rodricka i Manny'ego. Szczerze mówiąc, jestem zadowolony, że teraz my będziemy się tym zajmować.

Mama pisze liściki na naszych torebkach z lunchem, a jest to coś, bez czego ZDECYDOWANIE mogę żyć.

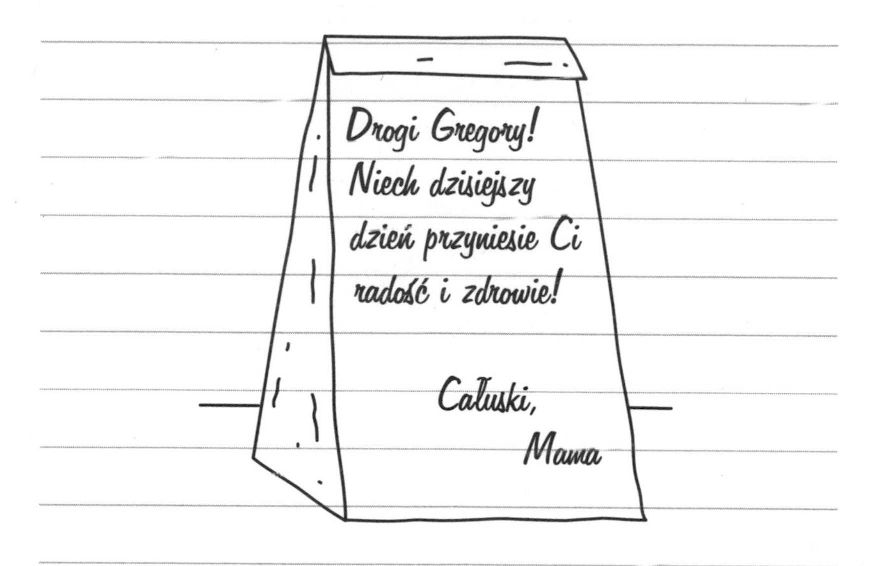

Środa

OK, pierwsze wieczory bez mamy okazały się porażką. W poniedziałek próbowaliśmy ugotować obiad, no i żaden z nas nie miał pojęcia, co robić.

Manny był odpowiedzialny za mrożoną herbatę, ale nie nadawała się do picia, bo pomieszał ją rękami.

Rodrick zarządzał pieczenią, ale zapomniał odwinąć ją z folii przed włożeniem do piekarnika.

No więc porzuciliśmy pomysł domowego obiadu i postanowiliśmy coś zjeść na mieście. Kiedy wyszliśmy z restauracji, Rodrick wypluł gumę w kierunku latających dokoła ciem i przez przypadek trafił w tatę.

Tata zaczął gonić Rodricka po parkingu, ale on jest niesamowicie szybki i nie dał się złapać. Zaraz potem tata potknął się na krawężniku i skręcił sobie kostkę.

Wtedy Rodrick musiał go zawieźć na pogotowie. Kiedy lekarka zapytała o okoliczności wypadku, tata odparł, że nie patrzył pod nogi i nadepnął na jedną z ciężarówek Manny'ego na podjeździe.

Potrafię zrozumieć, dlaczego tata skłamał. Kiedyś złamałem nadgarstek i mówiłem wszystkim, że to się stało podczas walki na pięści. PRAWDA była taka, że od siedzenia na sedesie zdrętwiały mi nogi i wstając, straciłem równowagę. Ale moja wersja podobała mi się bardziej.

No więc chociaż to tylko kilka dni bez mamy, wszystko zaczyna się sypać. Jak dotąd, zaliczyliśmy ciężkie uszkodzenie ciała, a kto wie, co jeszcze się wydarzy.

Czwartek

Zabraliśmy do domu resztki z Włoskiego Jadła i właśnie to mieliśmy dzisiaj na obiad. Tata musiał zostać dłużej w pracy, więc zadzwonił do Rodricka i kazał mu podgrzać makaron w mikrofali.

Rodrick mnie pierwszemu podał talerz, mówiąc:

Przez chwilę dmuchałem na spaghetti, żeby je ostudzić. Ale nie wiedziałem, że Rodrick wcale nie podgrzał mojego makaronu w mikrofali – tylko ściemniał, że to zrobił.

Więc kiedy natrafiłem na kulkę mięsną, była zamarznięta na kość.

Po tym przykrym doświadczeniu nie sądzę, abym jeszcze kiedykolwiek był w stanie zjeść jakieś resztki.

Przejęcie przez mężczyzn obowiązków związanych z lunchem też zresztą nie spełniło pokładanych w nim nadziei. W tym tygodniu to była działka Rodricka, który napisał liścik na mojej torebce, naśladując mamę.

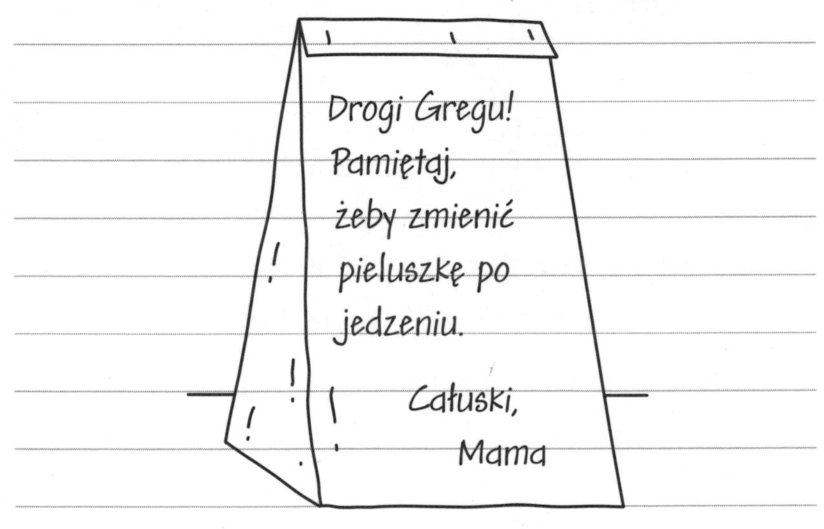

Nie zawracałem sobie głowy tą kanapką nawet przez chwilę, ponieważ w całym swoim życiu nie widziałem, żeby Rodrick mył ręce.

Moim obowiązkiem w ten weekend jest pranie i nie mogę się doczekać, aż ktoś mnie zmieni. Niech będzie jasne, co o tym myślę: zmuszanie chłopca do zajmowania się bielizną jego matki powinno być zabronione.

Piątek

Jedna z wielkich zmian związanych ze studiami mamy to fakt, że teraz tata pomaga mi w odrabianiu lekcji. Bez urazy, ale mama jest TYSIĄC razy lepsza. Kiedy ona siedzi ze mną nad pracą domową, po prostu podaje mi odpowiedzi i sprawa jest załatwiona w dziesięć minut.

Z tatą to całkiem inna historia. On za wszelką cenę chce mi pokazać, JAK odrobić pracę, a to jest znacznie bardziej czasochłonne. Zresztą tata chodził do szkoły wieki temu, więc zawsze muszę czekać, aż przeczyta moje podręczniki i nadrobi braki.

Ale matma jest NAJGORSZA. Odnoszę wrażenie, że dzisiaj ten przedmiot wygląda kompletnie inaczej niż kiedyś, bo tata denerwuje się tymi wszystkimi nowymi zasadami i próbuje uczyć mnie tak, jak JEGO uczyli.

Tata w dodatku ślini palce, odwracając kartki. Kiedy to robi, próbuję zapamiętać strony, żeby nie dotknąć potem jego śliny.

A z głową wypełnioną tymi wszystkimi liczbami nie mam już gdzie pomieścić prawdziwej matematyki.

Potrafię stwierdzić, kiedy robię coś źle, bo tata się wtedy wścieka i ciężko wydycha powietrze przez nos. Dlatego od pewnego czasu kładę sobie ścierkę kuchenną na ręce, zanim usiądziemy do algebry.

Dwie godziny mijają niepostrzeżenie, a potem muszę kłaść się spać. Mam tylko nadzieję, że mama szybko da sobie spokój z tymi studiami, bo ja należę do osób, którym wieczorne oglądanie telewizji jest niezbędne jak tlen.

Poniedziałek

Matematyka staje się problemem. Będziemy mieć w szkole „standardowe testy" i słyszałem, że nauczyciele nie dostaną premii, jeśli źle wypadniemy. Takie wywieranie presji na dzieci jest naprawdę nie w porządku.

Pamiętam, jak to wyglądało w przedszkolu. Wtedy matematyka była autentycznie ZABAWNA.

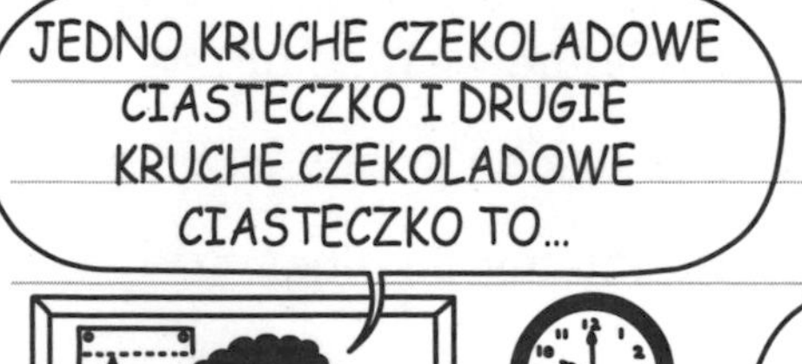

Pani Mackelroy mówi, że jeśli oblejemy test, obetną nam budżet i stracimy lekcje muzyki czy coś w tym rodzaju. Ale nie sądzę, żeby ten przekaz trafiał do dzieciaków. Kilka tygodni temu przed klasówką z matematyki pani Mackelroy oświadczyła, że sprawdzian ma charakter „otwarty", to znaczy możemy korzystać ze swoich notatek i podręczników.

Wyszła z klasy, żeby coś załatwić, a gdy tylko zamknęła za sobą drzwi, rozpętał się totalny chaos.

Praktycznie każdy zawalił sprawdzian, bo ludzie użyli swoich książek i zeszytów jako amunicji.

Z tego wydarzenia płynie pewien wniosek. Pani Mackelroy nie powinna snuć zbyt śmiałych planów o tym, co sobie kupi z premii.

PAŹDZIERNIK

Wtorek

Dzisiaj wieczorem tata stanął nade mną, kiedy siedziałem na kanapie. Wyglądał na wściekłego. Chciał wiedzieć, dlaczego nie wyniosłem rano śmieci, tak jak mi kazał.

Powiedziałem, że musiało mu się coś pomylić, bo nie wspominał o żadnych śmieciach. Ale on stwierdził, że zrobił to wczoraj wieczorem, kiedy grałem w gry wideo, i szczerze mówiąc, coś mi zaczęło świtać.

Jeśli NAWET zapomniałem, to nie moja wina. Mam GENIALNY sposób na pamiętanie różnych rzeczy.

Kojarzycie system zapisywania sobie różnych spraw do załatwienia? No cóż, to straszna robota, a poza tym marnowanie papieru.

No więc powiedzmy, że leżę w łóżku, a mama zagląda do mojej sypialni i mówi, że mam jutro zanieść do szkoły zgodę rodzica na wycieczkę. Nie wychodzę wtedy z łóżka, żeby zrobić notatkę.

Tylko rzucam jedną z poduszek na drugi koniec pokoju.

Rano, kiedy wstaję i ruszam do drzwi, zauważam poduszkę i zaczynam się zastanawiać: „Hej, co ta poduszka tutaj robi?".

I wtedy doznaję olśnienia: „No tak, mam zanieść do szkoły zgodę rodzica". Widzicie? To totalnie bezpieczny system.

Dlatego wiem, że musiałem zrobić coś, co by mi przypominało o wyniesieniu śmieci. Jasne, już PAMIĘTAM: przed snem zostawiłem skarpetki na telewizorze.

A jeśli tata zaburzył mój system, tylko siebie może za to winić.

Ale on nie odpuścił tak łatwo. Powiedział, że robię się duży i że muszę być bardziej „odpowiedzialny".

Słyszałem już podobne rzeczy. W ostatnich tygodniach wakacji nasza sąsiadka, panna Grove, wynajęła mnie do zajęcia się roślinami podczas jej podróży służbowej. Cóż, robiłem to przez pierwsze dni. Potem, jak łatwo się domyślić, pochłonęły mnie inne sprawy.

Kiedy tata zapytał, jak się miewają rośliny, nagle zrozumiałem, że nie byłem u nich od co najmniej TYGODNIA. Od razu poszedłem po klucz, żeby podlać kwiaty, jednak nie znalazłem go na swoim miejscu.

Przewróciłem dom do góry nogami, ale bez skutku.

Aż wreszcie zagadka się wyjaśniła. Zostawiłem klucz w drzwiach panny Grove, która to odkryła po powrocie.

Wpadła w furię z powodu klucza tkwiącego w drzwiach wejściowych, ale moim zdaniem nie miała racji. Powinna się przecież cieszyć, że nikt nie okradł jej domu.

Wściekła się też o swoje kwiaty, bo tak się nieszczęśliwie złożyło, że większość z nich nie przetrwała. Zasugerowałem, że może powinna sprawić sobie kaktusa albo inną mało wymagającą roślinę.

Dzięki temu wszystko będzie w porządku, jeśli zgubię klucz podczas jej KOLEJNEJ podróży służbowej.

Ale panna Grove powiedziała, że więcej mnie nie zatrudni, nawet gdyby od tego zależało jej życie. Wysłała mnie do domu bez zapłaty, co uważam za podłość, bo przecież straciłem mnóstwo czasu, szukając tego klucza.

Tak czy inaczej, myślę, że tata ciągle jeszcze ma w pamięci tamten przykry wypadek i właśnie dlatego muszę znowu słuchać o „odpowiedzialności".

Miejmy nadzieję, że następnym razem nie zdejmie moich skarpetek z telewizora i system zadziała bez zarzutu.

Czwartek

Tata naprawdę się na mnie uwziął z tą odpowiedzialnością. Na początek chce, żebym wstawał bez wspomagania.

Widzę tu pewien problem, bo dotąd to ON mnie budził.

Tak to właśnie działało przez całe LATA i nie widzę powodu, żeby cokolwiek zmieniać.

Tata powiedział, że jeśli teraz się nie nauczę używania budzika, to nie będę tego potrafił, kiedy wyjadę na studia.

Zawsze jednak sądziłem, że istnieje jakiś sposób, abyśmy pozostali w kontakcie.

Wczoraj po raz pierwszy próbowałem wstać bez taty i nie poszło za dobrze. Budzik zadzwonił i w ogóle, ale ten dźwięk, zamiast mnie obudzić, wtargnął do mojego snu.

A dzisiaj nie było ani trochę lepiej. Nastawiłem budzik na radio i wybrałem stację, która puszcza klasykę. Nie chciałem znów usłyszeć tego okropnego dźwięku. Ale muzyka poważna też się nie sprawdziła.

Problem polega na tym, że bez interwencji innej istoty ludzkiej mój mózg zawsze znajdzie sobie jakiś powód, żeby spać dalej. Chociaż chyba w końcu wymyśliłem rozwiązanie. Odkryłem dzisiaj w składziku jeden z tych staroświeckich nakręcanych budzików, a one naprawdę dają czadu.

Wypróbowałem go, żeby się przekonać, czy jeszcze działa, i nie ma co do tego żadnych wątpliwości.

Nie sądzę, aby KTOKOLWIEK mógł spać przy TAKIM dźwięku. Jedyny kłopot to fakt, że budzik nie ma trybu „drzemki", więc istnieje ryzyko, że go wyłączę i znowu zasnę.

I dlatego wieczorem ukryłem budzik pod łóżkiem. W ten sposób, kiedy rano się rozdzwoni, będę musiał wstać, żeby go poszukać, no i obudzę się na dobre.

Piątek

Nowy budzik narobił mi kłopotów.

Tak głośno tykał pod łóżkiem, że cały czas miałem wrażenie, jakbym leżał na bombie zegarowej, która zaraz wybuchnie. No więc ze strachu przez pół nocy nie zmrużyłem oka.

Potem w szkole drzemałem z otwartymi oczami, co nawet jakoś się sprawdzało aż do apelu. Przed pójściem do auli ustawili nas w szeregu, a ja cały czas przytrzymywałem się ściany.

Ale musiałem na sekundę przysnąć, bo nagle ręka mi się omsknęła i niechcący włączyłem alarm przeciwpożarowy.

Cała szkoła została ewakuowana, a trzy minuty później przed bramę zajechało mnóstwo wozów strażackich.

Kiedy strażacy zrozumieli, że nigdzie się nie pali, kazali wszystkim wrócić do środka. Dyrektor wygłosił mowę przez radio. Powiedział, że ten, kto włączył alarm, zostanie zawieszony i że powinien sam się zgłosić.

Może nie wiem za dużo o świecie, ale WYSTARCZAJĄCO, żeby rozumieć jedno. Nie należy mówić, jaka będzie kara, PRZED wezwaniem przestępcy do ujawnienia się. No więc uznałem, że najmądrzej zrobię, siedząc cicho i przeczekując najgorsze.

Na trzeciej przerwie szkołę obiegła informacja, że z alarmu przeciwpożarowego chlusta niewidzialny płyn, kiedy ciągnie się za rączkę, a nauczyciele mają coś w rodzaju specjalnego wykrywacza promieni X, żeby odnaleźć dzieciaka z plamą na ręce. Więc odszukanie sprawcy to tylko kwestia czasu.
Wtedy wszyscy zaczęli się zastanawiać, czy tę

pogłoskę rozpuścili NAUCZYCIELE, i czy to podstęp, żeby mogli zobaczyć, który uczeń jako pierwszy pobiegnie do łazienki umyć ręce.

No i zapanowała ogólna PARANOJA.

Teraz już NIKT nie poszedłby do łazienki, a ci, co naprawdę musieli, postanowili wytrzymać do końca zajęć.

Dyrektor w końcu puścił wszystkich wcześniej, bo nikt nie chciał myć rąk, a właśnie szaleje grypa.

Mama uczyła się w bibliotece, więc musiałem zadzwonić do pracy taty i powiedzieć, żeby po mnie przyjechał. Nie był uszczęśliwiony.

Ale gdyby nie wbił sobie do głowy, że muszę wstawać bez wspomagania, nic złego by się nie wydarzyło.

Środa

Zaczynamy nowy dział nauki o człowieku - wiedzę o życiu. Najwyraźniej chodzi o te wszystkie rzeczy, do których nauczyciele robili mętne aluzje przez ostatnie miesiące. Rodzicom rozesłano formularze, na których mają wyrazić zgodę na nasz udział w lekcjach. Uczniowie, którzy nie przyniosą zgody rodzica, nie będą mogli nawet siedzieć w klasie do końca semestru.

No i nie jest dobrze. Mama pozwala mi oglądać tylko kino familijne, więc wiem, że mogę ZAPOMNIEĆ o tych zajęciach.

Żeby jakoś rozwiązać problem, wydrukowałem własną wersję zgody rodzica i nakleiłem na formularz.

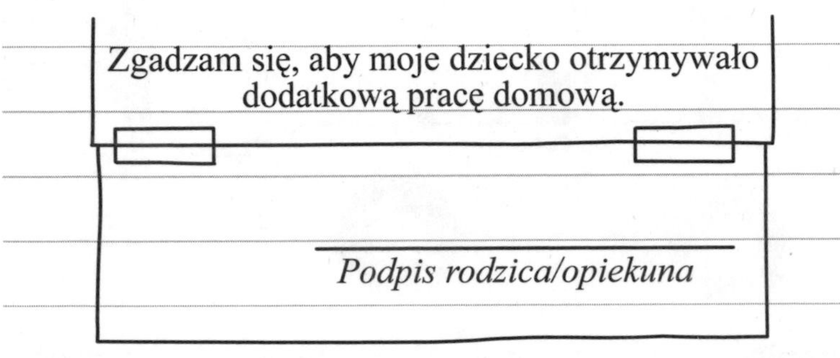
Zgadzam się, aby moje dziecko otrzymywało dodatkową pracę domową.

Podpis rodzica/opiekuna

Na szczęście mama nie przyglądała się formularzowi zbyt uważnie i złożyła podpis, na którym tak mi zależało.

Jestem naprawdę zadowolony, że będę chodzić na tę „wiedzę o życiu", bo mam mnóstwo pytań i żadnego wiarygodnego źródła informacji.

Prawie wszystko, co wiem o życiu, pochodzi bowiem od Alberta Sandy'ego, a zaczynam się zastanawiać, czy on przypadkiem nie wciska mi jakiegoś kitu. Na przykład w zeszłym tygodniu powiedział podczas lunchu, że z medycznego punktu widzenia nie jest możliwe, aby dziewczyna puściła bąka.

Cóż, wiem, że to nieprawda, od kiedy mama wyściskała ciotkę Dorothy w Wigilię.

Tak czy inaczej, dzisiaj był pierwszy dzień z wiedzą o życiu i siostra Powell rzeczywiście wysłała dzieciaki, które nie miały zgody rodzica, do szkolnej biblioteki jako „pomoc specjalną".

Reszta była niesamowicie podekscytowana. Nie mogliśmy się doczekać tych fascynujących rzeczy, które siostra Powell miała nam wyjawić.

Ale wszystko poszło ZUPEŁNIE inaczej, niż oczekiwałem. Siostra Powell umieściła jakieś plansze na statywie i zaczęła opowiadać o „zygotach", „chromosomach" i innych naukowych nonsensach.

Czekałem, aż powie, że to wszystko żart, i przejdzie do czegoś naprawdę ciekawego, ale nic takiego nie nastąpiło. No więc się zastanawiam, czy szkoła nie próbuje nas zdezorientować, żebyśmy przestali się interesować tymi sprawami.

W każdym razie JEŚLI nauczyciele faktycznie próbują nas ogłupić, to nieźle im idzie. Podczas lunchu chcieliśmy wyjaśnić dzieciakom z biblioteki, czego się nauczyliśmy, no i nie mogliśmy dojść do porozumienia w żadnej kwestii.

Sobota

Kolejną rzeczą, która spadła na tatę, od kiedy mama wróciła na studia, jest zabieranie nas do dentysty.

Większość dzieciaków tego nie lubi, ale ja WPROST PRZECIWNIE. Chodzę do tego samego dentysty od drugiego roku życia i uważam, że mają tam doskonałą obsługę.

Ale najważniejsze jest to, że KOCHAM higienistkę, która tam pracuje, Rachel.

Rachel zawsze mnie poucza, jak szczotkować zęby, używać nici dentystycznej i tak dalej, ale jest taka śliczna, że trudno traktować to wszystko serio.

Mama też zawsze suszy mi głowę o tę nić. Mówi, że jeśli nie zatroszczę się o swoje zęby, skończę ze sztuczną szczęką przed rozpoczęciem studiów.

Rozmyślałem o tym i może proteza nie byłaby wcale takim złym rozwiązaniem.

Gdybym miał sztuczną szczękę, KTOŚ INNY zajmowałby się moimi zębami, a ja zyskałbym więcej czasu na robienie naprawdę fajnych rzeczy.

Kiedy człowiek zakocha się w higienistce, jedyny problem polega na tym, że widuje ją tylko raz na sześć miesięcy, podczas zdejmowania osadu. Toteż postanowiłem wycisnąć z tych spotkań jak najwięcej.

Podczas ostatniego przeglądu patrzyłem Rachel w oczy przez całe czyszczenie zębów, żeby zrozumiała, że jestem poważnie nią zainteresowany.

Dzisiaj rano nawet kupiłem wodę kolońską, żeby zrobić na niej wrażenie. A kiedy tata zawołał mnie do samochodu, od dawna byłem gotowy do drogi.

Ale on minął mojego dentystę i wyjechał na autostradę. Powiedziałem mu, że przegapił zakręt i że jeśli chcemy dotrzeć do Kliniki Stomatologicznej Przytulanka, musimy zawrócić.

Wtedy on powiedział, że jestem „za duży" na chodzenie do dentysty dla dzieci, więc od dzisiaj będzie mnie wozić do swojego lekarza, doktora Kagana.

Zdrętwiałem na dźwięk tego nazwiska. Widziałem plakaty doktora Kagana przy autostradzie i coś mi się wydaje, że on ma zupełnie inne podejście do pacjentów niż specjaliści z Przytulanki.

DOKTOR SALAZAR KAGAN

CHIRURGIA SZCZĘKOWA

i stomatologia ogólna

LECZENIE KANAŁOWE

PRZECINANIE ROPNI

PRZESZCZEPY KOSTNE

„Bo zepsute zęby to nie powód do uśmiechu".

Próbowałem odwieść tatę od jego pomysłu, ale powiedział, że się porządnie namęczył, żeby mnie przepisać, więc nie ma odwrotu. Przez sekundę rozważałem ucieczkę, jednak musiał przejrzeć mój plan, bo zablokował zamki w drzwiach.

Klinika doktora Kagana była jeszcze bardziej przerażająca, niż ją sobie wyobrażałem. W poczekalni nie zauważyłem żadnych książeczek do kolorowania, zabawek ani innych przedmiotów, które mają w Przytulance.

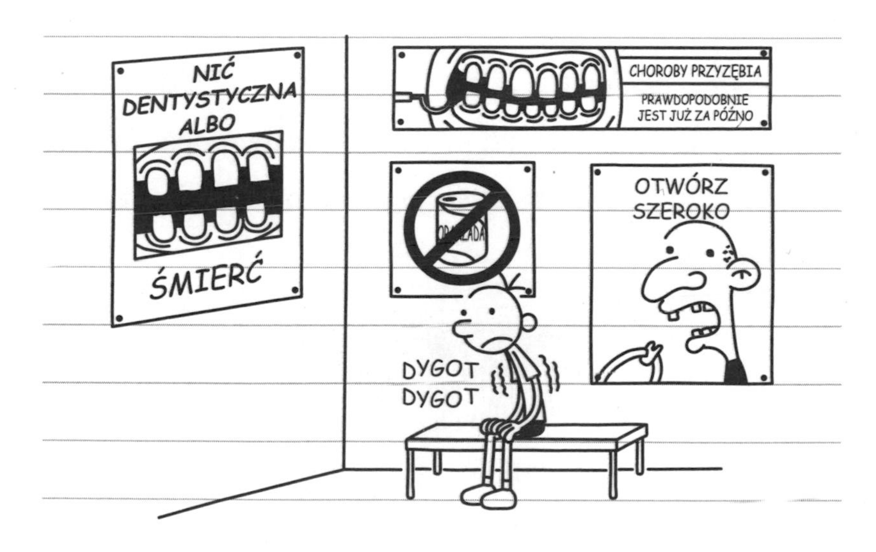

Doktor Kagan czekał na mnie w gabinecie, a wszystkie ostre metalowe narzędzia i wiertła leżały na wierzchu, żebym od razu je zauważył.

No więc zrozumiałem, że z gościem nie ma żartów.

Kiedy usiadłem w fotelu dentystycznym, doktor Kagan natychmiast przypuścił atak. Zaczął mnie wypytywać o „nawyki żywieniowe". Prawie WYSZEDŁ Z SIEBIE, kiedy się przyznałem, że piję napoje gazowane. Znikł na zapleczu i wrócił ze słoikiem, w którym zobaczyłem spróchniały ząb w brązowym płynie.

Powiedział, że to właśnie spotyka ząb zanurzony w napoju gazowanym przez dwadzieścia cztery godziny. Zapewniłem doktora Kagana, że nigdy nie zostawiłbym zęba w słoiku z bąbelkami, nawet na jedną noc. Na pewno pomyślał, że się z niego naśmiewam, ale ja chciałem tylko pokazać, że współpracuję.

Potem zaczął zdejmować mi osad z zębów. Wpadłem w panikę, bo jeśli jakiegoś faceta nie warto wkurzać, to jest nim gość gmerający metalowym narzędziem w waszych ustach.

W pewnym momencie doktor Kagan uznał za konieczne zdjęcia rentgenowskie. Wepchnął mi kawałek plastiku między zęby i kazał nagryźć. Potem sięgnął po kolejny kawałek plastiku.

Po dwóch albo trzech prześwietleniach załapałem, o co chodzi, więc kiedy doktor Kagan przeszedł do zębów trzonowych, ugryzłem plastik, zanim mnie o to poprosił. No i się okazało, że to był palec.

Jego wcześniejsza wściekłość była NICZYM w porównaniu z tym, co rozpętałem.

Doktor Kagan powiedział mi, że mam iść do poczekalni, bo on musi się zająć „diagnozą". Byłem na sto procent pewien, że zaraz przyjdzie i powie, że potrzebuję leczenia kanałowego albo czegoś w tym stylu, żeby się na mnie odegrać.

Ale on zrobił coś jeszcze GORSZEGO. Obwieścił, że mam przodozgryz górny i że niezbędna jest „korekta". A potem dał tacie tę broszurkę.

Doktor Kagan oświadczył, że będę musiał nosić aparat na stałe, zwłaszcza w dzień, kiedy jestem w szkole. Najwyraźniej usiłuje zrujnować moje życie towarzyskie.

Poniedziałek

Kiedy się obudziłem, nie mogłem znaleźć aparatu tam, gdzie go położyłem, więc poszedłem do szkoły bez niego. Nie żebym się na to skarżył.

Na nauce o człowieku siostra Powell powiedziała, że będziemy teraz omawiać rodzicielstwo. Oznajmiła, że bycie matką albo ojcem oznacza ogromną odpowiedzialność, a opieka nad dzieckiem – jak niebawem się przekonamy – to nie bułka z masłem.

I wtedy wyjęła skądś kartonowe pudełko pełne jajek. Wyjaśniła, że każde z nas zabierze jedno jajko do domu i przyniesie je jutro z powrotem.

A zadanie było następujące: mieliśmy odnieść jajko w idealnym stanie, bez żadnej stłuczki.

Nie wiem, co jajko ma wspólnego z dzieckiem, ale w takich sytuacjach zawsze się zastanawiam, czy otrzymałbym lepszą edukację, gdyby mama i tata przenieśli mnie do szkoły prywatnej.

Wtedy siostra Powell powiedziała, że ten projekt z jajkiem będzie stanowić 25% naszej oceny końcowej.

A kiedy o tym wspomniała, naprawdę się zaniepokoiłem. Już prawie zawaliłem algebrę i nie chcę się też pogrążyć na nauce o człowieku. Dotarło do mnie, że muszę zapewnić mojemu jajku bezpieczeństwo.

Inne chłopaki niespecjalnie się zmartwiły SWOIMI stopniami, przynajmniej sądząc z tego, co nastąpiło po lekcji.

Podobno woźny przez całe popołudnie zeskrobywał żółtko z szafek.

Jedynym chłopakiem poza mną, który nie potłukł jajka od razu, był Rowley. Schował je do kieszeni koszulki.

Ja nie miałem kieszeni ani niczego innego dla MOJEGO jajka, więc musiałem coś szybko wymyślić.

W końcu wziąłem wielki zwój papieru toaletowego z łazienki i umościłem jajku gniazdo w plecaku. Konieczne okazało się wyjęcie kilku książek, więc raczej nie odrobię dzisiaj historii.

Jajka generalnie mnie stresują ze względu na to, co zaszło rok temu.

Moja rodzina została zaproszona przez państwa Snellów na jedno z ich „półurodzinowych" przyjęć dla dzieciaków. Stół uginał się od żarcia, jak na mój gust strasznie wydumanego. Ale wiedziałem, że mama się wścieknie, jeśli nie nałożę sobie nic na talerz.

Jedyną rzeczą, jaką w ogóle umiałem rozpoznać, były jajka faszerowane. Jadłem je parę razy u babci.

No to wziąłem sobie tak z dziesięć. Ale kiedy ich spróbowałem, zakrztusiłem się. ANI TROCHĘ nie smakowały jak te u babci, a teraz miałem ich pełen talerz.

A więc poczekałem, aż nikt nie będzie patrzył, i ukryłem wszystkie faszerowane jajka w plastikowej roślinie doniczkowej, która stała w jadalnym.

Już o niczym nie pamiętałem, kiedy kilka tygodni później pani Snella powiedziała, że w ich domu pojawił się brzydki zapaszek i nie mają pojęcia, co go powoduje.

Z początku obstawiali dywan. Wezwali czyściciela, który im go uprał. Ale to nie rozwiązało problemu, no więc uznali, że w ścianie musi być jakaś martwa wiewiórka albo mysz. Zadzwonili po stolarza, żeby spróbował ją wyciągnąć.

Po kilku tygodniach chyba nie mogli już znieść tego smrodu, bo się przeprowadzili.

I muszę przyznać, że trochę ruszyło mnie sumienie, kiedy zobaczyłem, jak zabierają tę plastikową roślinę ze sobą.

Od tamtej pory ciągle się zastanawiam, jak przemycić trochę jajek faszerowanych do domu Fregleya.

Wtorek

Wczoraj po powrocie ze szkoły włożyłem jajko do szuflady ze skarpetkami, ale zdałem sobie sprawę, że nie będzie tam bezpieczne.

Gdy mam coś nowego, Manny zaraz znajduje sposób, żeby to znaleźć i zniszczyć.

Półtora dnia wystarczyło, żeby dorwał mój aparat na zęby. I nie obchodzi mnie, CO powie doktor Kagan. Nie ma mowy, żebym jeszcze kiedykolwiek włożył TĘ rzecz do ust.

Rozważałem schowanie jajka na górnej półce mojej szafy, to jednak nie powstrzymałoby Manny'ego. Kiedyś ukryłem tam komiksy, ale ten dzieciak wspina się jak małpa.

Wreszcie sobie uświadomiłem, że im więcej energii wkładam w wymyślenie kryjówki, tym większe szanse ma Manny, żeby ją obczaić. Dlatego zdecydowałem, że zostawię jajko w jakimś oczywistym miejscu, w którym młody nie będzie szukał.

Umieściłem je na drzwiach lodówki. Ale dzisiaj rano już go tam nie było.

Spanikowany, zapytałem mamę, czy widziała, jak Manny rusza moje jajko.

Wtedy mama odparła, że to ONA wzięła jajko i że właśnie smaży je dla mnie do szkoły.

Zrobiło mi się słabo. Zrozumiałem, że jeśli nie umiem zająć się jajkiem przez dwadzieścia cztery godziny, zdecydowanie nie nadaję się na ojca.

Wszystkie dziewczyny, które chodzą ze mną na naukę o człowieku, przyniosły SWOJE jajka całe i zdrowe. Część uszyła dla nich specjalne futeraliki, a niektóre nawet ozdobiły jajka cekinami, brokatem i tak dalej.

Jestem absolutnie pewny, że lekcja miała na celu pokazanie nam, jak frustrująca jest opieka nad dzieckiem, więc dziewczyny najwyraźniej nic nie załapały.

Zastanawiałem się, czy nie zwędzić Rowleyowi jego jajka, ale pomazał skorupkę kredką, więc nie było jak.

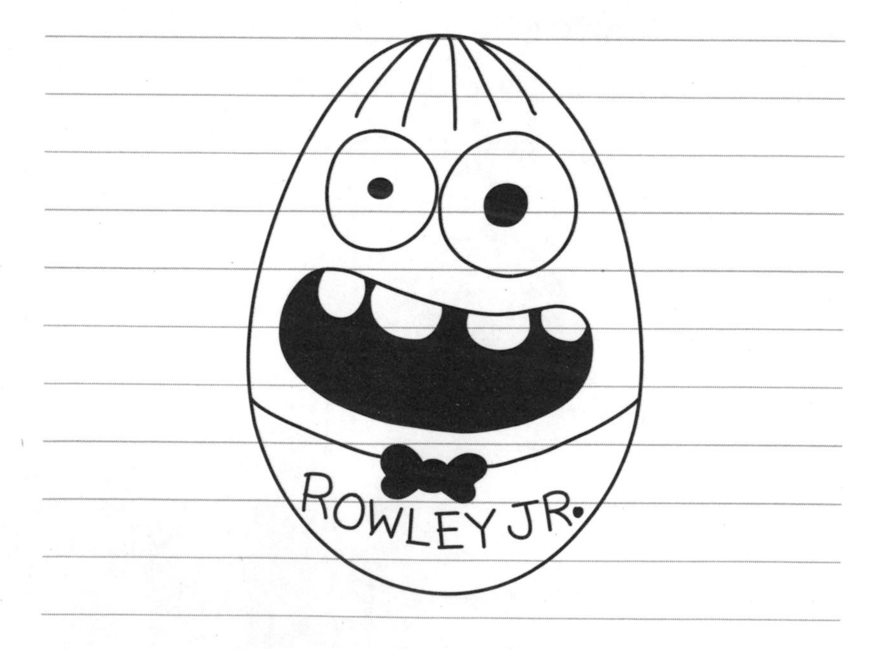

Kiedy siostra Powell podeszła do mojej ławki, wyjąłem torebkę, do której mama zapakowała mi jajko sadzone. Siostra nie wyglądała na usatysfakcjonowaną.

No więc myślę, że prawdopodobnie będę powtarzać naukę o człowieku.

Siostra Powell pogratulowała wszystkim, którzy ochronili jajka przed zagrożeniami. Potem je zebrała i wyrzuciła do śmieci.

A to doprowadziło Rowleya i dziewczyny do histerii.

Po tym eksperymencie zaczynam się martwić o następne pokolenie rodziców w naszym kraju.

Piątek

Dziś po południu ktoś zapukał do drzwi. Kiedy je otworzyłem, okazało się, że to dziadek.

Byłem trochę zakłopotany, bo dziadek miał ze sobą walizkę. Ale kiedy się odwróciłem i zobaczyłem mamę i tatę z ICH bagażami, zrozumiałem, na co się zanosi.

Mama i tata powiedzieli, że ostatnio nie spędzali ze sobą zbyt wiele czasu, więc postanowili się wybrać na „romantyczny weekend poza domem". I poprosili dziadka, żeby nas popilnował podczas ich nieobecności.

Wolałbym, żeby nie wyjeżdżali, a przede wszystkim żeby nie nazywali tego wyjazdu „romantycznym". To nie jest na mój rozum.

Mama i tata w życiu nie zostawią nas znowu samych, ponieważ OSTATNIM razem Rodrick urządził wielką imprezę.

Gdy rodzice wyjeżdżają, zazwyczaj pilnuje nas babcia. Ale teraz popłynęła w rejs z kumpelami, więc jesteśmy skazani na dziadka.

Mama i tata często pryskają z chaty bez ostrzeżenia. W ich rocznicę ślubu zorientowaliśmy się dopiero wtedy, kiedy zadzwonił telefon.

Dziadek opiekował się nami u nas w domu, gdy ja i Rodrick byliśmy naprawdę mali.

Nie pamiętam wszystkiego, co poszło źle w tamtym tygodniu, ale przypominam sobie, że zawiózł mnie na bejsbol dla maluchów na złą godzinę i na niewłaściwe boisko.

Nie sądzę, aby Rodrick był zadowolony z dziadka w roli niani, bo kiedy mama i tata opuścili dom, zaraz się ulotnił.

Na swoje nieszczęście nie mam półciężarówki ani prawa jazdy, dlatego ugrzązłem z dziadkiem i Mannym.

Manny poszedł zaraz do łóżka, chociaż było dopiero wpół do piątej. Ja i dziadek zostaliśmy sami.

A on wtedy zrobił grzanki z serem i odciął skórki od chleba, jak wtedy, kiedy byłem mały. Pooglądaliśmy trochę telewizję, ale o siódmej dziadek ją wyłączył i zapytał, czy chcę, żeby mi poczytał. Nikt nie czytał mi na dobranoc od przedszkola, ale nie chciałem zranić jego uczuć. No więc powiedziałem, że tak.

Sobota

Wczoraj się położyłem o wpół do ósmej i dzisiaj wstałem naprawdę wcześnie.
A kiedy poszedłem na dół, zobaczyłem duży biały segregator na stole kuchennym.

Nagle wszystkie grzanki z serem, czytanie na dobranoc i wczesne kładzenie się do łóżka nabrały sensu. Dziadek po prostu używał ściągi, którą mama zrobiła dla niego, kiedy OSTATNIO się nami zajmował, czyli osiem albo dziewięć lat temu.

Przerzuciłem strony, no i oczywiście znalazłem mnóstwo rad dotyczących tego, jak się opiekować małymi dziećmi.

Co najmniej 95% treści było zupełnie nieaktualne.

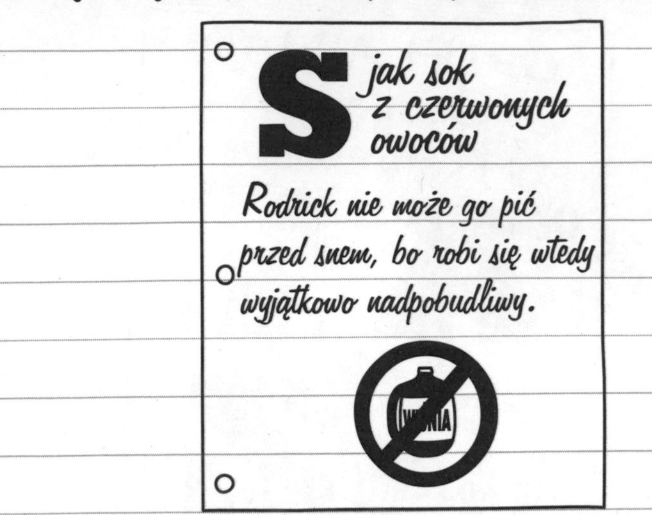

Niektóre z tych rzeczy były naprawdę żenujące. Cieszę się, że znalazłem ściągę przed Rodrickiem, bo nigdy by mi nie dał przeczytać jej do końca.

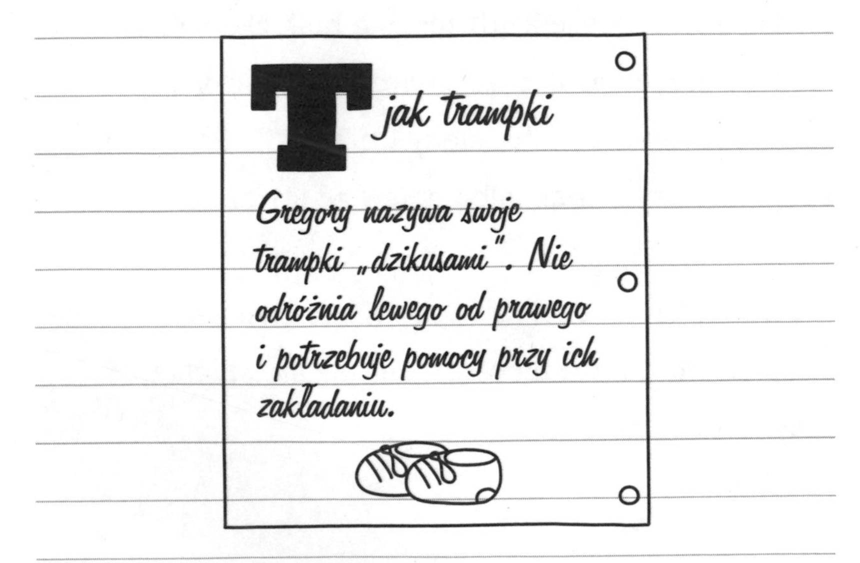

Pod literą T znalazłem coś jeszcze.

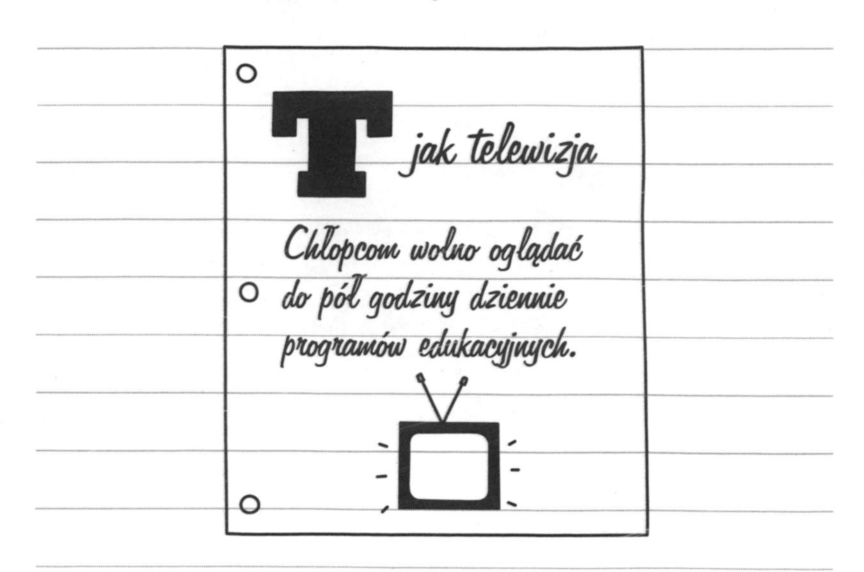

Raczej nie przeżyję całego weekendu z dziadkiem bez telewizora, więc wyrwałem stronę i napisałem hasło od nowa.

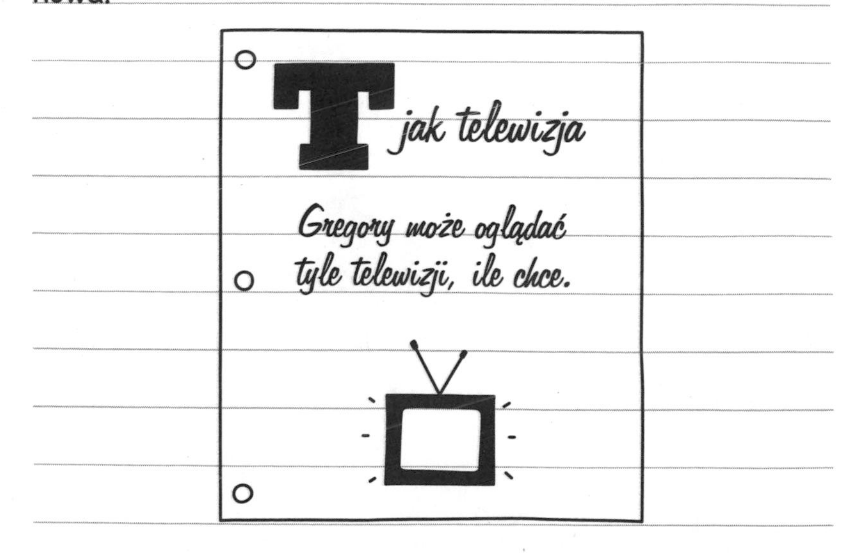

Wtedy zdałem sobie sprawę, że zostało mi jeszcze wolne miejsce na odwrocie.

S jak sprawiedliwość

Rodrick ma dostać klapsa za każdym razem, gdy wychodzi bez pytania.

Poniedziałek

Niestety, mama i tata wrócili wczoraj do domu przed Rodrickiem, a dziadek pojechał do siebie. Straszna szkoda, bo bardzo liczyłem na literę S.

Mama powiedziała, że ona i tata dużo rozmawiali i że doszli razem do wniosku, że nasz dom schodzi na psy, od kiedy poszła z powrotem na studia.

Myślałem, że zaraz nas objedzie za to, że się migamy, jednak oznajmiła, że zamierza ZATRUDNIĆ kogoś do pomocy w sprzątaniu. Zamurowało mnie. Słowa, których dokładnie użyła, brzmiały: „pomoc domowa", ale wiedziałem, że to naprawdę oznacza „służąca".

Chyba mama się wstydzi wynajmowania kogoś do sprzątania, bo poprosiła, żebyśmy tego nie rozpowiadali.

No cóż, bardzo mi przykro, ale tego rodzaju sensacje nie zdarzają się co dzień, więc trzymanie języka za zębami w szkole trochę mnie przerosło.

Chirag Gupta oznajmił, że jego rodzina NIE POTRZEBUJE służącej. I że on lubi, jak mama jest w domu.

Ale ja jestem pewien, że ludzie, którzy nie mają służby, powtarzają to sobie, żeby poczuć się lepiej.

Jutro jest pierwszy dzień pracy naszej sprzątaczki – Isabelli. Myślałem, że od teraz możemy sobie pozwolić na trochę więcej niechlujstwa, bo przecież ktoś będzie zbierał nasze rzeczy z podłogi, ale mama zagoniła dzisiaj wszystkich do generalnych porządków. Powiedziała, że nie chce, by Isabella uznała nas za „fleje".

Wtorek

Kiedy dzisiaj wróciłem ze szkoły, Isabella oglądała w salonie talk-show. Chyba nie mogę jej winić za to, że się obijała, no bo w sumie posprzątaliśmy za nią. Ale spędziła u nas jakieś dwie godziny totalnie przyklejona do telewizora.

Wieczorem, kiedy mama weszła do domu, była zdumiona tym, jak wszędzie jest czysto. Najwyraźniej nie pamiętała, że to MY odwaliliśmy całą robotę.

Ale była taka szczęśliwa, że nie chciałem rozwiewać jej złudzeń.

Ja nie byłem aż tak zadowolony. Zostawiłem Isabelli liścik z prośbą o zajęcie się moim praniem. Nie wiedziałem, czy przyjmie polecenie od dziecka, więc podszyłem się pod mamę.

Droga Isabello!
Upierz, proszę, rzeczy mojego syna Gregory'ego.
Szczerze oddana
Pani Heffley

Teoretycznie oczekuje się ode mnie, żebym SAM sobie prał, więc nie chciałem, aby do mamy dotarła moja „inicjatywa". Dlatego jeszcze zrobiłem dopisek.

PS

Zniszcz ten list po przeczytaniu.

Potem położyłem wiadomość na torbie z brudną bielizną, którą zostawiłem przed domem, żeby Isabella jej nie przegapiła. Oczekiwałem, że zastanę pranie ułożone w schludne, równe stosiki na łóżku w mojej sypialni, ale zamiast tego znalazłem ODPOWIEDŹ od Isabelli.

Całe szczęście, że wróciłem, zanim mama zdążyła przejąć tę korespondencję.

Droga Pani Heffley!
Ale który z dzieciaków to Gregory?

Isabella

Załamka. Całą torbę z brudną bielizną musiałem zaciągnąć po schodach na górę. Niewiarygodne, ale w tę stronę było to dużo trudniejsze.

Isabella przyjdzie dopiero w czwartek, więc pewnie będę musiał poczekać i zrobić drugie podejście.

To dość emocjonujące, bo dotąd nie miałem na kogo zrzucić swoich obowiązków. Rodrick CIĄGLE mnie wrabia w robienie ZA NIEGO różnych rzeczy.

Zawsze zaczyna od prośby, a ja zawsze odmawiam.

Wtedy zaczyna liczyć od dziesięciu do jednego. I nie wiem czemu, ale to na mnie działa za każdym razem.

Zauważyłem, że dorośli są na tę technikę odporni.

Tydzień temu próbowałem nakłonić tatę do przyniesienia pilota, który został na stole w kuchni. Ale on nawet nie mrugnął.

Tak czy siak, mam nadzieję, że w czwartek Isabella spełni swoją powinność. Noszę te same skarpetki od kilku dni i w dotyku zaczynają przypominać tekturę.

Czwartek

No dobra, to się zaczyna robić idiotyczne. Wczoraj wieczorem zaciągnąłem pranie na dół i zostawiłem kolejny liścik dla Isabelli.

Droga Isabello!
Gregory to ten, który ma pokój
z niebieską tapetą. Upierz, wysusz
i ułóż te rzeczy w jego sypialni.

Dziękuję,
Pani Heffley

Jednak zamiast czystych ciuchów znalazłem jeszcze jedną odpowiedź.

Droga Pani Heffley!
Dziękuję za wyjaśnienie, ale czy mam oddzielnie prać jasne i ciemne, czy może wszystko razem?

Isabella

Teraz rozumiem. Ona będzie to przeciągać w nieskończoność. W pewnym sensie podziwiam jej talent do migania się od pracy, ale dramat polega na tym, że niedługo skończy mi się bielizna.

A NAPRAWDĘ denerwujące jest to, że Isabella wyjada naszą niezdrową żywność. Poszedłem dziś wieczorem do spiżarki po obwarzanki i torebka była prawie pusta.

Zauważyłem też brak czipsów ziemniaczanych. I nie do wiary: Isabella zostawiła liścik w spiżarce, żeby się poskarżyć na nasz wybór śmieciowego jedzenia.

> *Droga Pani Heffley!*
> *Uprzejmie proszę wziąć pod uwagę, że wolę pikantne czipsy ziemniaczane od solonych.* *Isabella*

Cóż, te, które zeżarła, BYŁY pikantne, chociaż się nie zorientowała. Manny zlizuje z nich przyprawy i wkłada z powrotem do torebki. Niestety, wiem to z własnego doświadczenia.

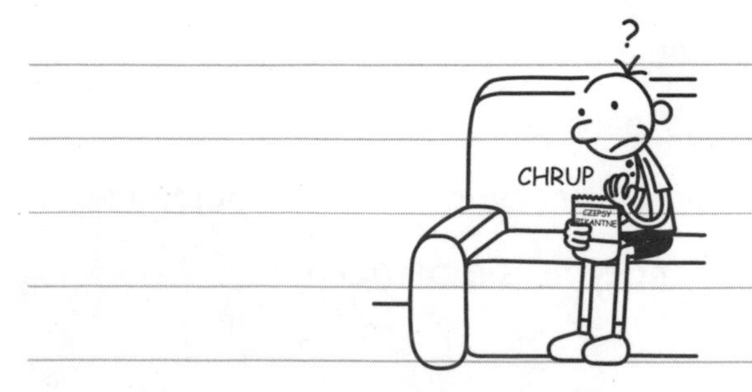

Mama kupiła trochę przekąsek tylko dla Isabelli i schowała je w spiżarce, zakazując nam się do nich zbliżać.

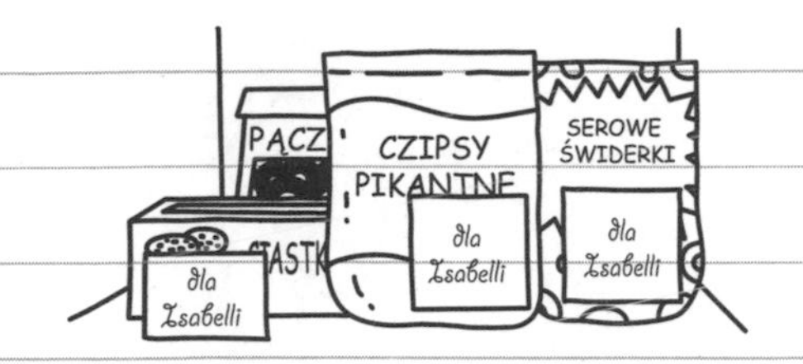

Poniedziałek

Dzisiaj w szkole ogłosili, że odbędzie się specjalna akcja pozyskiwania funduszy na nasze wychowanie muzyczne pod nazwą ZATRZASK. To chyba coś w rodzaju wielkiej piżamowej damsko-męskiej imprezy, więc ABSOLUTNIE możecie na mnie liczyć.

Zaniepokoiła mnie tylko wzmianka o „opiekunach". Więc wyciąłem ten kawałek, zanim pokazałem ogłoszenie mamie.

Wtorek

Mam powyżej uszu naszej służącej. Dałem jej jeszcze jedną szansę, a ona po raz kolejny się wykręciła.

Droga Isabello!
Tak, możesz uprać razem rzeczy jasne i ciemne. Zajmij się tym, proszę, w pierwszej kolejności, bo Gregory'emu kończą się ubrania do szkoły.
Pani Heffley

I oto, co znalazłem na torbie z praniem, kiedy wróciłem do domu.

Droga Pani Heffley!
Dziękuję za wyjaśnienie w związku z jasnymi i ciemnymi. Niestety, zgubiłam wcześniejszy list, w którym pisała Pani, który to Gregory.

Isabella

Poddaję się. Jako że wysprzątaliśmy dom przed pierwszym dniem Isabelli, mam wrażenie, że ona przez cały ten czas zajmowała się tylko pisaniem liścików.

A co gorsza, kiedy wczoraj się położyłem, poczułem coś pod pościelą. No więc sięgnąłem po to coś i znalazłem przedmiot, który chyba był damską podkolanówką.

To oznacza, że Isabella ucina sobie drzemkę w MOIM ŁÓŻKU. Poszedłem do pokoju mamy i powiedziałem, że popełniła wielki błąd, zatrudniając tę kobietę, i że powinna ją zwolnić.

Ale mama nie chciała o tym słyszeć. Powiedziała, że dom „lśni czystością", od kiedy jest z nami Isabella, i że wszyscy powinniśmy być jej wdzięczni za pracę, jaką dla nas wykonuje. A więc Isabella TOTALNIE okręciła sobie mamę wokół palca.

Powiem tak: jeśli zawód służącej polega na oglądaniu telewizji przez cały dzień, wyżeraniu słonych przekąsek i przewracaniu się z boku na bok w moim łóżku, to nareszcie wiem, jak pokierować swoją karierą.

Sobota

Tata podrzucił mnie wczoraj o ósmej wieczorem na Zatrzask i kiedy tylko przekroczyłem próg szkoły, zrozumiałem, że cała ta impreza to maksymalna porażka. Przyszło mniej więcej 90% chłopaków i 10% dziewczyn. A na domiar złego ROWLEY tam był.

Już chciałem się odwrócić i wyjść, ale jeden z opiekunów właśnie zamknął drzwi na kłódkę. No i utknąłem na całą noc z tymi ludźmi.

Większość dziewczyn z mojej klasy w ogóle się nie pojawiła, a pozostałe chyba po prostu za późno załapały, w co wdepnęły.

Uznałem, że powinienem wyciągnąć z tej sytuacji, ile się da, i poszedłem do auli, gdzie wszyscy zanosili swoje rzeczy. Od razu zauważyłem, że na jednego dzieciaka przypada co najmniej jeden dorosły, a nie jest to gwarancja dzikiej zabawy.

Wśród opiekunów przeważali rodzice, ale byli także nauczyciele. I coś mi mówi, że ci drudzy przyszli tylko dlatego, że nie mieli wyboru.

Rzuciłem swoje rzeczy na scenę, gdzie siedzieli inni uczniowie. Kiedy zauważyłem w tłumie Rowleya, przeniosłem się pod przeciwległą ścianę.

Większość dzieciaków chyba już spisała na straty tę imprezę, bo prawie każdy był zajęty jakimś elektronicznym gadżetem przyniesionym z domu.

NIE POMYŚLAŁEM o zabraniu moich gier wideo i nie miałem też żadnego kolorowego pisma ani niczego w tym stylu, żeby zabić czas. No więc zapytałem jednego z dorosłych, co mógłbym robić.

Pani Barnum powiedziała, że „centrum rozrywek" znajduje się w kącie i jest do dyspozycji każdego, kto potrzebuje „zaszaleć".

Ale te wszystkie rozrywki były dla zupełnych maluchów.

Postanowiłem zamiast tego po prostu usiąść z założonymi rękami na śpiworze.

O dziewiątej dorośli powiedzieli, że czas na „gry i zabawy", ale do dzieciaków to nie dotarło, bo miały słuchawki na uszach. Pan Tanner oświadczył, że musimy się „integrować", i skonfiskował wszystkie telefony komórkowe, empetrójki i co tam było, a potem wrzucił do foliowego worka na śmieci.

Wtedy usiedliśmy w kręgu na środku auli. Pani Carr zapowiedziała, że będziemy „przełamywać lody", co pozwoli nam lepiej poznać kolegów.

Ale prawda jest taka, że my się znamy bardzo dobrze, bo od przedszkola. Szczerze mówiąc, myślę, że aż ZA dobrze.

Pani Carr oznajmiła, że zaczniemy od zabawy w Przyjazne Przydomki: każdy będzie podawał przymiotnik rozpoczynający się od tej samej litery co jego imię, na przykład „Sympatyczny Seth" albo „Filuterny Fred". Chodziło o to, żeby przydomek coś mówił o naszej osobowości.

Rowley zgłosił się jako pierwszy.

To było naprawdę stresujące - próbować wymyślić dobrze brzmiący przydomek - a mój czas nadchodził szybko. Wreszcie zdecydowałem się na „Genialnego Grega", co może jest trochę czerstwe, ale naprawdę trudno wymyślić sensowną ksywkę zaczynającą się od G.

I chyba dzieciak po mojej prawej, George Fleer, miał identyczny problem.

Nie mogłem użyć tego samego słowa co George, bo ludzie powiedzieliby, że odgapiam.

No więc spędziłem chwilę, próbując wymyślić kolejne dobre słowo na G, ale wszyscy wpatrywali się we mnie i nic nie przychodziło mi do głowy.

Wtedy pani Libby postanowiła pospieszyć mi na ratunek.

Wszyscy wydawali się dość zadowoleni z tego rozwiązania, chociaż „Gapcio" nie jest przymiotnikiem. Co stawia pod znakiem zapytania jakość naszej edukacji, zwłaszcza że pani Libby jest dyplomowaną nauczycielką.

Pomyślałem, że „Gapcio Greg" to PORAŻAJĄCY przydomek, ale zanim zdołałem wymyślić coś lepszego, odezwała się osoba po mojej lewej stronie i było już za późno.

No więc idiotyczne przezwisko przylgnęło do mnie na resztę nocy, a prawdopodobnie aż do studiów.

Potem bawiliśmy się w grę Nigdy Nikomu Tego Nie Mówiłem. Trzeba było wyjawić jakiś swój sekret. Pani Carr powiedziała, że to „umocni" nasze więzi, ale moim zdaniem tak NAPRAWDĘ opiekunowie chcieli odkryć, którzy z nas są „trudnymi dziećmi".

Moja teoria znalazła potwierdzenie niedługo później, gdy Teddy Caldwell poszedł do łazienki, a opiekun ruszył za nim w pościg.

Potem jeszcze przez jakiś czas „przełamywaliśmy lody", ale nikt nie mógł się skupić, bo co pięć sekund dzwoniła albo wibrowała któraś z komórek w worku z elektroniką. Wtedy pan Tanner zaczynał w nim grzebać, chcąc znaleźć telefon i go wyłączyć.

Wreszcie skapitulował i zamknął worek w pokoju nauczycielskim.

Kiedy gry się skończyły, mieliśmy piętnaście minut przerwy do następnego punktu programu. Niektórzy z nas przynieśli ze sobą niezdrowe przekąski, ale na imprezie obowiązywał ścisły zakaz podjadania, więc musieliśmy je pochłonąć po kryjomu.

Opiekunowie jakimś trafem DOKŁADNIE wiedzieli, kto łasuje, i odebrali nam około 95% wałówki. Pan Farley wytropił nawet draże wiśniowe, które ukryłem w poszewce poduszki.

Wreszcie zrozumieliśmy, że wśród nas jest zdrajca. To był Justin Spitzer, opłacany przez dorosłych skonfiskowanymi snackami.

Jedynym dzieciakiem, który nadal miał śmieciowe żarcie, był Jeffrey Chang. Nie odebrano mu wielkiej paczki chrupek serowych. Chłopak chyba wiedział, że to tylko kwestia czasu, więc się z nimi zamknął w męskiej toalecie. Ale dorośli w końcu go przejrzeli, Jeffrey spanikował, no i pozbył się dowodów rzeczowych.

Po przerwie wróciliśmy do kręgu i pani Dean powiedziała, że będziemy się bawić w Zgaduj-zgadulę. Potem podzieliła nas na drużyny. Ja wylądowałem w Drużynie Trzeciej z George'em Fleerem, Tysonem Sandersem i paroma innymi dzieciakami.

Ucieszyłem się, że nie będę w jednym zespole z Rowleyem, bo czułbym się bardzo nieswojo.

Gra wyglądała następująco: każda drużyna musiała pójść do drugiego pokoju i zrobić zdjęcie jednemu z dzieciaków. Miało ono przedstawiać jakiś szczegół, na przykład ucho, nos, rękę i tak dalej. Później drużyna zanosiła zdjęcie do biblioteki, gdzie przeciwnicy zgadywali, kto jest na odbitce.

Pani Dean oświadczyła, że zwycięzcy dostaną w nagrodę lodowe kanapki z zamrażarki w stołówce. Fakt, to brzmiało jak niezły ubaw. A kiedy przyniosła aparaty, wybuchły prawdziwe zamieszki, bo mijały dwie godziny, odkąd straciliśmy dostęp do jakiejkolwiek technologii.

Ale wtedy się okazało, że to te staroświeckie aparaty, które od razu wywołują zdjęcia, i wszyscy byli trochę rozczarowani, bo one nie mają ekranu ani niczego.

Nasza drużyna udała się do szkolnego laboratorium, żeby zrobić zdjęcie w warunkach większej prywatności. Najpierw musieliśmy postanowić, kogo sfotografujemy.

George Fleer powiedział, że powinniśmy pstryknąć fotkę jego pępka. Ale wszyscy stwierdzili, że to by było zbyt oczywiste, bo George ma tam prawdziwego mutanta i każdy NATYCHMIAST się domyśli, o kogo chodzi.

Próbowaliśmy robić zdjęcia różnym dzieciakom po kolei, ale wszystko wydawało się za łatwe.

Nicky Wood bardzo chciał być na zdjęciu, ale ten dzieciak jest cały w piegach i nie mogliśmy znaleźć na nim ani jednego miejsca, które nie byłoby do bólu przewidywalne.

Wreszcie zdecydowaliśmy się na plecy Christophera Brownfielda, ale wtedy złapaliśmy szpiega Drużyny Czwartej i musieliśmy zmienić modela.

Zrobiliśmy masę zdjęć Tysonowi Sandersowi, jednak najlepsze ze wszystkiego okazało się zgięcie łokcia.

Nie da się nawet stwierdzić, co w ogóle jest na tym zdjęciu.

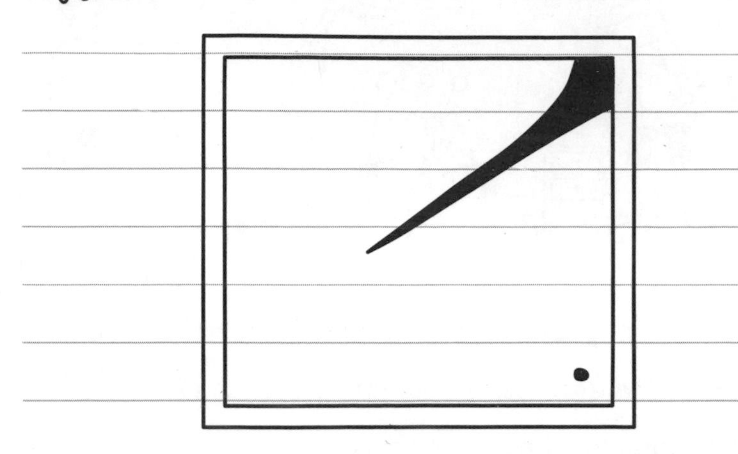

Kiedy wszystkie drużyny przyszły do biblioteki, powiesiliśmy nasze zdjęcie na ścianie razem z innymi. A gdy tylko zobaczyliśmy pozostałe fotki, wiedzieliśmy, że wygramy.

Niektóre były tak proste do odgadnięcia, że aż brała litość.

Nie pytajcie mnie, co sobie wyobrażała drużyna Rowleya.

Bardzo nam się spieszyło do zgadywania, bo byliśmy pewni, że nikt nie rozkmini łokcia Tysona Sandersa. Ale pan Tanner długo przyglądał się naszej fotografii.

A potem powiedział, że nie śmieszy go „niedojrzały żart" Drużyny Trzeciej i że zostajemy zdyskwalifikowani.

Popatrzyliśmy po sobie, próbując zrozumieć, o czym on, kurczę, mówi. Ale pani Dean też dostała szału. Oświadczyła, że niedopuszczalne jest fotografowanie czyjejś „sempiterny".

Nikt w mojej drużynie nie wiedział, co to znaczy, no ale na szczęście byliśmy w bibliotece, więc zajrzeliśmy do słownika. I nie zgadniecie. To znaczy „tyłek". I przy okazji stwierdziliśmy, że istnieje około MILIONA innych słów, które też oznaczają „tyłek".

Ale nauczyciele WŚCIEKLI SIĘ jak nie wiem co. Oni autentycznie myśleli, że sfotografowaliśmy czyjś tyłek, no i coś jest na rzeczy – trzymając tę fotkę pod pewnym kątem, można się pomylić.

Pan Tanner zapowiedział, że wezwie rodziców, żeby zabrali nas do domu, i dodał, że dzieciak, którego tyłek znajduje się na zdjęciu, ma NAPRAWDĘ poważne kłopoty.

Wiedziałem, że jeśli pan Tanner zadzwoni do moich rodziców o jedenastej wieczorem, nie będą zachwyceni, i na pewno inne chłopaki z drużyny myślały tak samo. Wtedy George Fleer rzucił się do ucieczki, co wywołało w nas coś w rodzaju paniki.

No i my też rzuciliśmy się do ucieczki.

Każdy był zajęty ratowaniem własnej skóry i zupełnym przypadkiem schowałem się w sali muzycznej razem z Tysonem Sandersem. Zgasiliśmy światło, żeby nikt nas tam nie szukał.

Tyson bardzo się martwił, że nauczyciele ustawią nas na goło w rządku i zaczną porównywać zdjęcie z konkretnymi dzieciakami. Ale powiedziałem mu, że nie ma powodu do obaw, bo przecież używając pisuaru, opuszcza spodnie aż do kostek, i wszyscy wiedzą, jak wygląda jego tyłek.

Długo siedzieliśmy w sali muzycznej, ale w końcu zostaliśmy nakryci przez kilku nauczycieli, którzy posłużyli się Justinem Spitzerem, żeby nas wywęszył.

Razem z opiekunami wróciliśmy do biblioteki, gdzie była już cała Drużyna Trzecia.

A właściwie cała poza Christopherem Brownfieldem, który, o ile wiem, nadal ukrywa się za automatem z napojami gazowanymi na drugim piętrze.

Wtedy Tyson powiedział panu Tannerowi, że na zdjęciu jest jego ręka. Na szczęście ma pieprzyk przy łokciu, który pasował do tego na zdjęciu, bo inaczej pan Tanner nigdy by mu nie uwierzył.

Po porównaniu zdjęcia i ręki Tysona kilka razy pan Tanner wreszcie oświadczył, że zaszła „drobna pomyłka" i że „błądzenie jest rzeczą ludzką". To były naprawdę głupie przeprosiny, ale i tak się ucieszyłem, bo jakoś przestał mówić o telefonie do rodziców.

Na tym się skończyły gry i zabawy i dorośli powiedzieli, że powinniśmy już iść spać. Chyba nikt, kto przyszedł na Zatrzask, nie planował się kłaść, ale w tamtym momencie byłem zadowolony, bo dzięki temu noc mogła minąć szybciej.

Poszedłem do auli, gdzie zostawiłem śpiwór. Leżał tuż obok śpiwora Jennifer Houseman, która jest całkiem niebrzydka. Ale dorośli powiedzieli, że dziewczyny mają wziąć swoje rzeczy i iść do sali audiowizualnej w bibliotece, a chłopaki – zostać w auli.

Miałem nadzieję, że trochę odpocznę, ale część dzieciaków zaczęła się wygłupiać i o spaniu nie było mowy.

W pewnej chwili George Fleer zaczął gonić innych ze swoim pępkiem-mutantem na wierzchu, co wyglądało dość potwornie.

Widzicie, tego właśnie nie mogę znieść u chłopców w moim wieku. Jak przyjdzie co do czego, zmieniają się w stado dzikich zwierząt.

Kiedy George zaczął rozrabiać, przeprosiłem wszystkich i poszedłem umyć zęby. Łazienka znajduje się na tyłach auli, a światło było wyłączone, więc panowała tam kompletna ciemność.

Wtedy usłyszałem ten dziwny dźwięk i najpierw trochę się przestraszyłem, bo w naszej szkole są gryzonie. Ale zaraz się okazało, że to tylko Fregley dokazujący samotnie w kąpieli piłeczkowej.

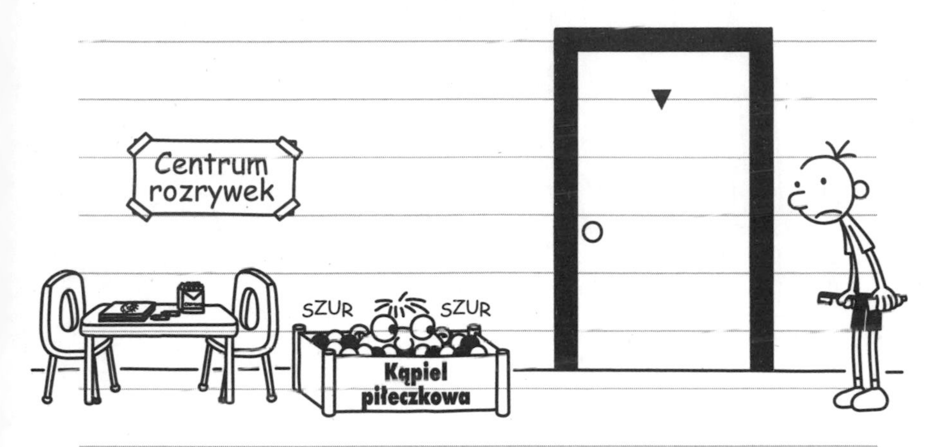

Mniej więcej o północy pan Palmero, szkolny pedagog, powiedział wszystkim, żeby weszli do śpiworów i się uspokoili. Potem dodał, że nie ma gadania aż do rana i że jeśli któryś z nas choćby piśnie, to popamięta.

Podczas jego przemowy ktoś co chwila puszczał bąka i to pana Palmero naprawdę rozwścieczyło, bo nie mógł złapać sprawcy na gorącym uczynku.

Myślę, że po wcześniejszym zajściu ze zdjęciami dorośli zrobili się trochę przewrażliwieni na punkcie wszystkiego, co dotyczy pośladków.

Pan Palmero powiedział, że jeśli komuś „dokuczają gazy", ma iść za kurtynę na scenie, żeby pozbyć się problemu.

I wtedy chłopaki zaczęły mówić panu Palmero, że muszą iść za kurtynę, a potem wydawały tam najobrzydliwsze dźwięki, jakie można sobie wyobrazić.

Trwało to dłuższy czas, a osiągnęło punkt kulminacyjny, kiedy David Rosenburgh wymknął się do sali muzycznej i przyniósł tubę.

Nie wiem, czy to był tylko zbieg okoliczności, ale właśnie wtedy w auli wysiadło ogrzewanie.

Tak naprawdę myślę, że ktoś specjalnie zakręcił kaloryfery. Ale w każdym razie od tamtej pory nikt nie opuszczał już swojego śpiwora.

Wkrótce pan Palmero zasnął, ale my nie. Niektóre chłopaki mówiły, że to jak więzienie, i zaczęliśmy się naradzać, jak by tu prysnąć do domu.

Problem jednak polegał na tym, że wszystkie drzwi były zamknięte. Powinniśmy się byli domyślić, co jest grane, kiedy nazwali tę imprezę Zatrzaskiem.

Albert Sandy powiedział, że widział film o facecie, który wydostał się z więzienia dzięki zwykłej łyżce, i sporo chłopaków zapaliło się do tego pomysłu.

Ale to była oczywiście kolejna hollywoodzka ściema, bo kiedy przynieśliśmy z kuchni łyżki, okazało się, że nie jesteśmy w stanie zrobić nawet RYSY w linoleum.

Około wpół do drugiej nad ranem ktoś zauważył migające światła za oknami, no więc wszyscy poszliśmy na tyły auli sprawdzić, o co chodzi.

Zobaczyliśmy gościa od holowania pojazdów obchodzącego dokoła samochód pana Palmero, zaparkowany na miejscu dla niepełnosprawnych.

Próbowaliśmy zwrócić jego uwagę, żeby nas uwolnił.

Ale facet nic nie usłyszał i odholował wóz. Zastanawiałem się, czy czasem nie obudzić i nie powiadomić o wszystkim pana Palmero, ale uznałem, że zasłużył na trochę odpoczynku.

Teraz już w auli było tak zimno, że zbiliśmy się w kupę jak chomiki, żeby zatrzymać uciekające ciepło.

Pomyślałem sobie, że w sali audiowizualnej w bibliotece na pewno jest miło i przytulnie i zacząłem poważnie rozważać dołączenie do dziewczyn.

Ale doszedłem do wniosku, że na pewno mnie złapią i znajdę się w punkcie wyjścia.

Około wpół do trzeciej wreszcie zasnąłem. A o trzeciej rozległo się walenie w tylne drzwi, które wszystkich postawiło na nogi. Pan Palmero otworzył i zobaczył rozjuszonych rodziców.

Próbowali dodzwonić się do swoich dzieci, żeby sprawdzić, czy wszystko w porządku, ale nie mogli, bo pan Tanner skonfiskował komórki. No to wtedy rodzice zaczęli wydzwaniać do innych rodziców i wybuchła panika.

W dużym skrócie: ci, którzy przyjechali do szkoły, zabrali swoje dzieci. A na miejscu zostały tylko dwa dzieciaki, które nie mają własnych telefonów: ja i Rowley. No i to było dość dziwaczne.

Coś mi mówi, że ten cały Zatrzask był tak naprawdę spiskiem uknutym przez rodziców i nauczycieli, żeby nas zniechęcić do imprez damsko-męskich. I trzeba przyznać, że im się udało.

Poniedziałek

Spędziłem weekend, próbując odpocząć po Zatrzasku, bo piątkowej nocy w ogóle nie spałem. Ale całe to doświadczenie było chyba zbyt ciężką próbą dla mojego organizmu, bo dzisiaj rano obudziłem się chory.

Szczerze mówiąc, wcześniej zdarzało mi się już symulować, żeby nie iść do szkoły, chociaż mama na ogół wyczuwa blef jak pies gończy.

Ale dzisiaj zmierzyła mi temperaturę, a kiedy spojrzała na słupek rtęci, oświadczyła, że mam zostać w łóżku.

Dodała, że musi spędzić dzień w bibliotece, żeby się przygotować do wieczornego egzaminu końcowego, i że nie będzie mogła mnie doglądać. I to jest straszna niesprawiedliwość, bo jedyna fajna rzecz w byciu chorym polega na tym, że ktoś wokół ciebie skacze.

Mama powiedziała, że w razie czego niedługo zjawi się Isabella. Ale kiedy tylko wyszła, zabarykadowałem się w sypialni. Nie mogłem ryzykować tego, że Isabella spróbuje uciąć sobie tutaj drzemkę.

Spałem chyba aż do południa, a kiedy wreszcie wstałem, na dole było straszne zamieszanie. Telewizor grał naprawdę głośno i słyszałem jakieś kobiece głosy.

Wyjrzałem przez okno i zobaczyłem mnóstwo samochodów przed domem i na ulicy.

Nie miałem pojęcia, co się dzieje, więc po prostu zostałem w pokoju. Mniej więcej pół godziny później przyjechała mama i weszła do środka. Minęło pięć minut i nagle mnóstwo kobiet znalazło się na naszym trawniku, nie wyłączając Isabelli.

Mama przyszła do mnie na górę. Była naprawdę zła.

Powiedziała, że postanowiła wrócić z biblioteki wcześniej, żeby się mną zająć, i wparowała w sam środek przeglądu oper mydlanych z udziałem wszystkich służących z sąsiedztwa.

Wieczorem mama zwołała kolejne zebranie domowników, na którym ogłosiła, że „tej pani już dziękujemy" i że damy sobie radę, jeśli połączymy siły. Ulżyło mi, bo odtąd nie muszę przetrząsać łóżka w poszukiwaniu damskich podkolanówek.

Wtorek

Kiedy przyszedłem dzisiaj do szkoły, Rowley czekał przy mojej szafce z błogim uśmiechem na twarzy. Wtedy zauważyłem, że na środku czoła ma wielkiego pryszcza.

Większość ludzi wolałaby zostać w domu, niż pokazać się z czymś takim w szkole, ale Rowley oświadczył:

No cóż, muszę przyznać, że wytrącił mnie z równowagi. Ale na tym nie koniec.

Później zobaczyłem Rowleya kręcącego się przy szafkach starszych dzieciaków. On chyba myśli, że z powodu krosty na czole dołączył do elitarnego klubu czy coś w tym stylu.

Moim zdaniem to żałosne, że Rowley usiłuje wszystkim zaimponować tym swoim głupim pryszczem.

I wierzcie mi, nie jestem zazdrosny ani nic takiego. Ale ten dzieciak nadal nie potrafi zasnąć bez całego stada pluszaków, więc to bez sensu, że właśnie jemu pierwszemu wyskoczył pryszcz, nie MNIE.

Cały incydent dał mi do myślenia. Ciągle czekam na gwałtowne przyspieszenie wzrostu, a przynajmniej zarostu, ale to okropnie długo trwa.

A teraz, kiedy Rowley ma pryszcza, zaczynam się denerwować.

Po powrocie do domu przyjrzałem się sobie dokładnie w lustrze, żeby sprawdzić, czy nie zaszły jakieś zmiany. Ale wszystko wyglądało beznadziejnie znajomo.

No więc po obiedzie zapytałem mamę i tatę, kiedy TO się zacznie.

A oni odparli, że w moim wieku byli w tych sprawach DALEKO za kolegami z klasy.

Wtedy tata mnie uprzedził, żebym się nie spodziewał obfitego zarostu nawet jako dojrzały mężczyzna, bo on, chociaż jest dorosły, goli się nie częściej niż raz czy dwa razy w tygodniu.

No i to była AUTENTYCZNIE zła wiadomość. W tym kraju zawsze ci powtarzają, że możesz być, kim tylko chcesz, jak dorośniesz, ale właśnie sobie uświadomiłem, że to nieprawda.

Potrafię wymienić co najmniej pół tuzina zawodów, których nie będę mógł wykonywać, jeśli nie zdołam wyhodować brody, wąsów albo przynajmniej przyzwoitej szczeciny.

Środa

Dzisiaj był dzień drugi z pryszczem Rowleya, który obnosił się z idiotycznym przedziałkiem, żeby każdy mógł zobaczyć to cudo.

Nie zniósłbym tego dłużej, więc postanowiłem coś zrobić. Napisałem liścik i wręczyłem mu go na korytarzu.

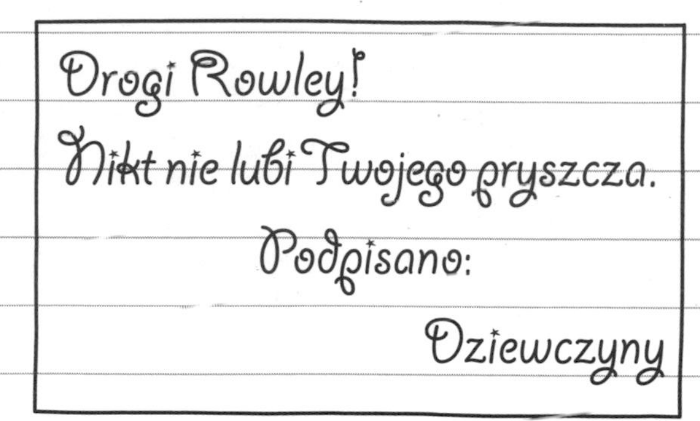

Drogi Rowley!

Nikt nie lubi Twojego pryszcza.

Podpisano:

Dziewczyny

I muszę z radością stwierdzić, że podstęp zadziałał.

Ale przed lunchem zdarzyło się coś zupełnie niewiarygodnego. Nasza klasa szła na stołówkę i na korytarzu, gdzie mają szafki starsi uczniowie, stał Jordan Jury ze swoją paczką.

Jordan zatrzymał nas i powiedział:

Nie mogłem uwierzyć własnym uszom. Jak już wspominałem, imprezy Jordana Jury'ego są LEGENDARNE.

Ale najlepsze w imprezach Jordana Jury'ego jest to, że przychodzą na nie DZIEWCZYNY. Co oznacza, że te przyjęcia są zdecydowanie różne od tych, na które zazwyczaj jestem zapraszany.

Czyli mówimy tu o PRAWDZIWEJ imprezie, nie o czymś w rodzaju Zatrzasku, gdzie o wszystkim decydują dorośli.

Nie mam pojęcia, dlaczego Jordan Jury zaprosił mnie i Rowleya. Mogło chodzić o mój podręcznik do matematyki albo o pryszcz Rowleya, albo o obie te rzeczy.

W każdym razie jasne jest, że uznał mnie i Rowleya za kumpli i że bierze nas w pakiecie.

A ja nie zamierzałem ryzykować, że się rozmyśli.

Bez problemu mogę przez jeden wieczór udawać, że przyjaźnię się z Rowleyem, jeśli tylko dzięki temu zagram w butelkę z dziewczynami z klasy wyżej.

Czwartek

Szok. Mama nie puszcza mnie na imprezę Jordana Jury'ego.

I to nie ze względu na obecność dziewczyn czy starszych dzieciaków. Po prostu w ten weekend jest ŚLUB wujka Gary'ego.

To chyba najgorszy zbieg okoliczności w historii świata. Błagałem mamę, żeby pozwoliła mi zostać w domu i pójść na imprezę, ale była nieubłagana, nawet gdy obiecałem, że pojawię się na NASTĘPNYM ślubie wujka Gary'ego.

Mama powiedziała, że nie mam wyjścia, bo należę do orszaku ślubnego i nie mogę teraz zawieść wujka.

Ale ja nie opuściłem dotąd żadnego ślubu wujka Gary'ego i powiem wam, jak to DOKŁADNIE będzie wyglądało.

Wujek Gary poprosi mnie o „czytanie". Dorośli zawsze biorą z łapanki jakiegoś małolata do odczytania fragmentu ze Starego Testamentu, bo uważają, że to rozczulające, kiedy dzieciak łamie sobie język na tych wszystkich imionach.

Wiedziałem, że mama nie zmieni zdania, więc nawet nie przekonywałem jej długo. Po prostu poszedłem do pokoju i zadzwoniłem do Rowleya.

Powiedziałem mu, że nie mogę iść na imprezę i że w związku z tym on też nie może. Wytłumaczyłem, że to nie byłoby w porządku wobec mnie, uziemionego w kościele.

Ale Rowley powiedział, że jest już praktycznie dorosły i SAM podejmuje decyzje, no więc pójdzie na imprezę choćby nie wiem co.

Tak się wściekłem, że rzuciłem słuchawką. Teraz rozumiecie, że miałem rację co do Rowleya. Jest takim śmierdzącym egoistą, że w sumie cieszę się z naszego zerwania.

Sobota

Wczoraj moja rodzina wbiła się do samochodu i pojechała do Buni na ślub wujka Gary'ego. Byłem w naprawdę złym humorze - z powodu tej historii z imprezą, ale nie tylko.

Przypomniałem sobie, że mam iść na „Rozmowę" z Bunią w ten weekend, a nie jestem w nastroju do słuchania wykładu.

Ostatnio kazanie palnął mi brat taty, wujek Joe, mówiąc, że jestem już dużym chłopcem i powinienem zacząć myśleć o „przyszłości".

Wujek Joe narysował wykres, na którym było wszystko, co muszę zrobić od teraz do końca liceum, żeby zwiększyć swoje szanse na dostanie się na dobrą uczelnię i zdobycie pracy. W sumie to tata i wujek Joe zaplanowali mi następne dziesięć lat.

Kiedy o tym myślałem, nieoczekiwanie zdarzyło się coś, co poprawiło mi samopoczucie.

Mama przedzwoniła do Buni i powiedziała, że trochę się spóźnimy, bo musimy odebrać mój smoking.

TO mnie zainteresowało. Na żadnym wcześniejszym ślubie wujka Gary'ego nie musiałem mieć smokingu, co może oznaczać tylko jedno: będę jednym z DRUŻBÓW.

W nocy przed ślubem drużbowie urządzają panu młodemu naprawdę szalony wieczór kawalerski. Oglądam wystarczająco dużo telewizji kablowej, aby wiedzieć, że to coś, w czym zdecydowanie chcę wziąć udział.

Trochę mi się zrobiło żal Rodricka, bo najwyraźniej jego czas minął. Ale mogę przecież pstryknąć parę fotek, żeby zobaczył, co stracił.

Głównie jednak szalałem z radości, bo kiedy Rowley będzie sterczał na jakiejś lamerskiej szkolnej imprezie, ja będę się rozbijał limuzyną i szampańsko bawił. No a potem zobaczymy, kto jest „mężczyzną".

W dodatku na ślubie będę w parze z jedną z druhen. Oby tylko Sonja miała ładne koleżanki.

W drodze do Buni mama wymogła na mnie obietnicę, że nie będę się wycierał po całusach, bo to „niekulturalne".

Ale ten odruch jest silniejszy ode mnie. Kiedy jakaś ciocia albo inna krewna całuje mnie w policzek, zaczynam myśleć o bakteriach rozmnażających się błyskawicznie na mojej twarzy i dostaję tików nerwowych. Ostatnio zabrałem do Buni chusteczki antybakteryjne.

No i obiecałem mamie, że tym razem nie będę z nich korzystał. Ale nie należało ulegać tak łatwo, zwłaszcza że osobą, która nas powitała, okazała się ciotka Dorothy, a ona zawsze całuje mnie w usta.

Gdy tylko mama spojrzała w inną stronę, rzuciłem się w kierunku pierwszej lepszej rzeczy, o którą mógłbym wytrzeć sobie twarz.

Większość rodziny dotarła do Buni przed nami. Zajęłoby mi wieczność opisywanie każdego krewnego po kolei, więc będę się streszczał.

No więc był tam mój kuzyn Benjy ze swoimi rodzicami, ciotką Patricią i wujkiem Tonym. Kiedy ostatnio widziałem Benjy'ego, potrafił powiedzieć tylko dwie rzeczy.

Benjy mówi teraz całymi zdaniami, a jego rodzice utrzymują, że czyta już klasyków literatury w wersji dla dzieci. Ale ja bym się tak nie przechwalał, gdyby mój syn umiał czytać, a nadal nie opanował korzystania z nocnika.

Salon okupował mój cioteczny dziudek Arthur. Siedział w fotelu przed telewizorem. Nie sądzę, żebym kiedykolwiek przeprowadził z nim prawdziwą rozmowę, bo cioteczny dziadek Arthur tylko chrząka, jeśli nie liczyć tych innych, niekontrolowanych odgłosów. Spędzał raz z nami sobotę i niedzielę z okazji Święta Dziękczynienia i tak właśnie było przez cały czas.

Nigdy nie wiem, czy on próbuje nawiązać jakiś kontakt, czy robi to przypadkowo. Na wszelki wypadek zawsze odpowiadam.

Moja cioteczna babcia Reba też przyjechała, co było pewnym zaskoczeniem.

Kilka lat temu Bunia zaprosiła wszystkich na Boże Narodzenie, ale zupełnie zapomniała wysłać list do Reby. Moja cioteczna babcia w końcu się jednak pojawiła, ale odmówiła zdjęcia palta i siedziała tak w salonie, wywołując w nas poczucie winy.

Tym razem zjawił się także kuzyn taty Terrence. Wspominam o nim tylko dlatego, że w moim wieku ponoć wyglądał ZUPEŁNIE tak samo jak ja, co jest naprawdę załamujące.

Kiedy usłyszałem o tym podobieństwie po raz pierwszy, przekartkowałem album ze zdjęciami, żeby sprawdzić, czy to prawda. No i niestety. To była prawda.

Lepiej już teraz zacznę zbierać kasę na operację plastyczną.

Wśród gości był też drugi kuzyn taty – Byron. Jego widok niespecjalnie mnie uszczęśliwił. Na ostatnim zjeździe rodzinnym Bunia wysłała Byrona po mleko, a ja wybrałem się razem z nim. Ale niecały kilometr od domu złapaliśmy gumę na jakimś wyboju.

Byron kazał mi pobiec po pomoc, a zaraz potem zaczęło padać. Gdy tylko przeszedłem przez próg, wszystkie kobiety w kuchni zaczęły wrzeszczeć, że narobiłem śladów.

Zażądały, żebym zdjął buty i zostawił je w wiatrołapie, co też zrobiłem. Ale te krzyki musiały chyba wytrącić mnie z równowagi, bo zupełnie zapomniałem o przebitej oponie. A kiedy Byron przyszedł do domu pół godziny później, nie był zadowolony.

Przyjechał też wujek Charlie, z czego naprawdę się ucieszyłem, ponieważ on nosi w kieszeniach mnóstwo cukierków dla dzieci.

Nie zawsze go jednak lubiłem, bo kiedy byłem mały, ciągle mnie przezywał. Nosiłem wtedy czerwone śpiochy i wujek Charlie mówił na mój widok:

Okropnie mnie to denerwowało. Poskarżyłem się mamie, a ona pojechała ze mną do sklepu i kupiła mi niebieskie śpiochy. I następnym razem, kiedy zobaczyłem wujka Charliego, wiedziałem już, że go zażyłem.

Niestety, tylko trzy sekundy zajęło mu wymyślenie NOWEGO przezwiska.

U Buni NIE pokazał się jedynie wujek Lawrence, co zresztą było do przewidzenia. Wujek Lawrence ciągle podróżuje i prawie zawsze opuszcza rodzinne uroczystości. Czasami jednak bierze w nich udział przez internet – tak było na przykład z pogrzebem mojego ciotecznego dziadka Chestera.

Jako ostatni dołączyli do nas wujek Gary i jego narzeczona Sonja, która wydaje się dosyć fajna. Chyba szaleją za sobą, sądząc z tego, jak się zachowują.

Niestety, podczas obiadu musiałem siedzieć tuż obok nich i przekonać się o ich uczuciach naocznie.

Tata powiedział nam w samochodzie, że Sonja jest trochę przeczulona na punkcie poprzednich żon wujka Gary'ego, więc nie powinniśmy poruszać tego tematu.

Podobno kazała wujkowi usunąć tatuaż z lewej ręki, bo było na nim imię jego eks.

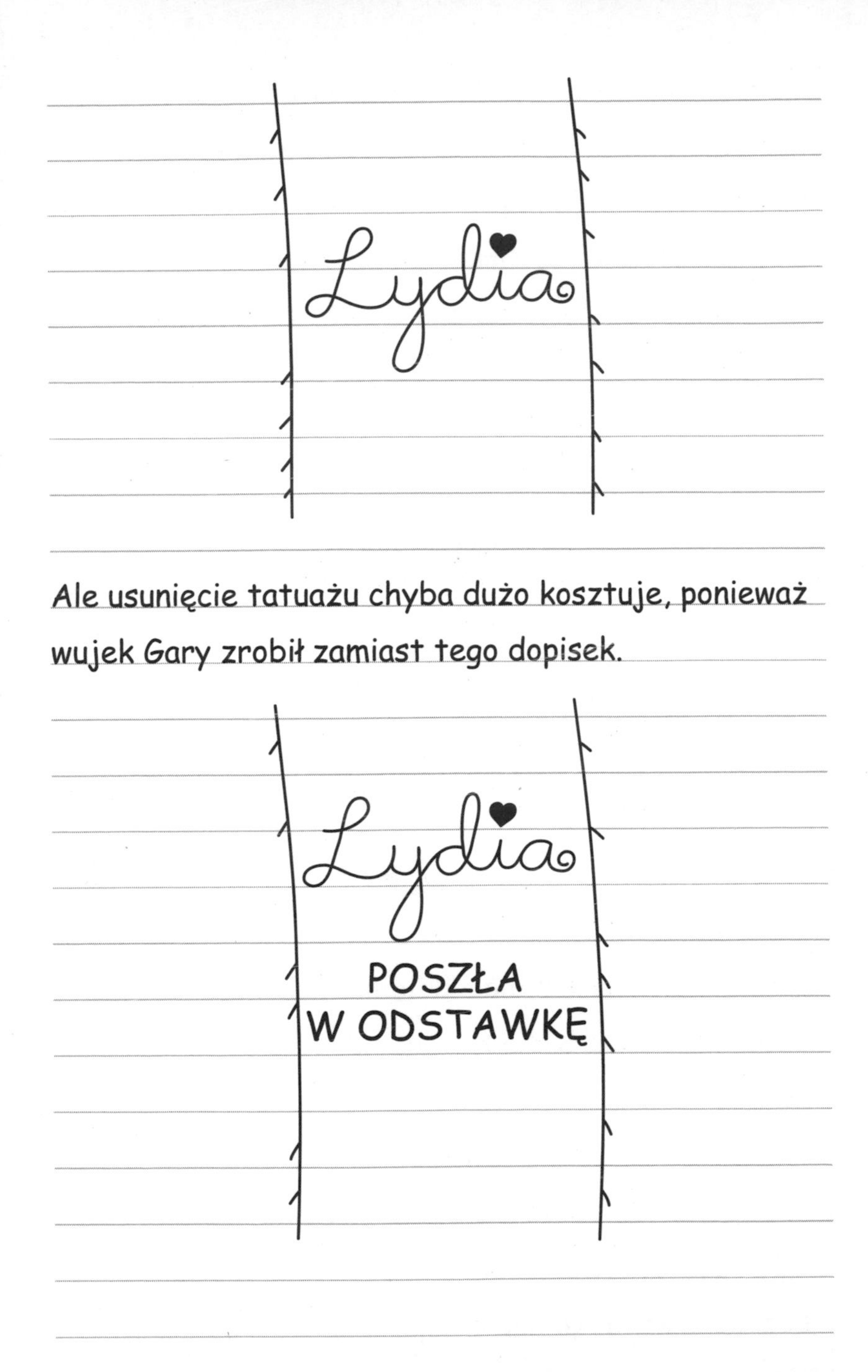

Ale usunięcie tatuażu chyba dużo kosztuje, ponieważ wujek Gary zrobił zamiast tego dopisek.

Dobrze chociaż, że Sonja nie kazała wujkowi zmieniać tatuażu na jego DRUGIEJ ręce. Zrobił go sobie po tym, jak zjadł za jednym posiedzeniem półtorakilogramowego monstrumburgera w barze Dania od Dana. Musicie przyznać, że to niesamowity wyczyn.

Jak już wspomniałem, na ślubie nie zabrakło prawie nikogo, więc choć Bunia ma duży dom, nie wszyscy dostali własny pokój.

Zawsze gdy jesteśmy u Buni, dołączają mnie do grupy facetów, których ona nazywa „Kawalerami", co oznacza każdego nieżonatego mężczyznę.

KAWALEROWIE

Nie jest to drużyna moich marzeń, SZCZEGÓLNIE że w pokoju gościnnym stoją tylko dwa łóżka. To oznacza, że niektórzy z nas muszą się ścieśnić, a reszta śpi na podłodze.

Wujek John należał do Kawalerów, ale ożenił się zeszłej wiosny. Zaczynam podejrzewać, że zrobił to tylko po to, żeby nie musieć spać z nami w gościnnym.

Trudno było zasnąć z tymi wszystkimi chrapiącymi facetami naokoło, no więc wreszcie zabrałem swoją pościel i poszedłem poszukać sobie jakiegoś innego miejsca.

Jedynym, co udało mi się znaleźć, była łazienka obok pokoju Buni, więc włożyłem kołdrę i poduszkę do wanny i umościłem sobie posłanie. Nie było to wygodne, ale przynajmniej miałem odrobinę prywatności.

Na szczęście się obudziłem, kiedy Bunia przyszła rano wziąć kąpiel.

Po tej cudem zażegnanej katastrofie byłem już gotowy na nowy dzień. Zapowiadał się on zresztą na bardzo długi, bo małe wesele - próba generalna przed właściwym weselem - zostało zaplanowane dopiero na siódmą wieczorem.

Ale przynajmniej jest coś, na co mogę się cieszyć: wieczór kawalerski.

Problem z uroczystościami rodzinnymi polega na tym, że nie mają one na uwadze zabawiania dzieci. Więc jeśli się nie lubi pić herbaty ani plotkować z paniami, to pech.

Każda rzecz w domu Buni jest przeznaczona dla staruszków, więc można oszaleć z nudów. Poskarżyłem się na to mamie kilka lat temu, no i kupiła Lego, żeby zawsze czekało na nasz przyjazd. Ale Bunia skleiła wszystkie klocki razem, bo ją denerwowały te kosteczki walające się po podłodze.

Poza tym nie ma tu dosłownie niczego, czym można by się zająć. W zeszłym roku znalazłem jakieś dropsy na kominku i poczęstowałem się nimi. Ale smakowały PASKUDNIE. Były rozlazłe jak guma do żucia.

No i się od nich pochorowałem i musiałem przeleżeć na kanapie kilka godzin.

Wtedy się okazało, że dropsy w tym słoiku są NAPRAWDĘ stare.

Tata powiedział, że pamięta je z czasów, kiedy ON był mały. I nawet znalazł odpowiednie zdjęcie w albumie Buni, żeby to udowodnić.

Małemu Franky'emu smakuje cukiereczek.

A skoro już mowa o zdjęciach, Bunia powinna uaktualnić te, które stoją na kominku. Ma fotografię każdego członka rodziny, a zdjęcie moje i Rodricka pochodzi z wycieczki do Wioski Świętego Mikołaja, czyli sprzed ośmiu lat.

Ciągle myślę o wyrzuceniu tego zdjęcia, kiedy nikt nie patrzy, bo to jedno z tych, które mogą wypłynąć, kiedy w przyszłości będzie powstawała moja biografia.

Wszystkie meble Buni też są stare i chyba bardzo cenne. Na pewno po jej śmierci wybuchnie o nie straszna kłótnia. Zresztą krewni już zaczęli zostawiać samoprzylepne karteczki na sprzętach, żeby mieć przewagę na starcie.

Myślę, że to niełądnie wobec Buni. Ale muszę przyznać, że są tu dwie czy trzy rzeczy, na które sam mam ochotę.

Niedziela

Podczas wczorajszego małego wesela długo czekałem na to, żeby wujek Gary wziął mnie na stronę i powiedział, gdzie będzie wieczór kawalerski, ale nic takiego nie nastąpiło.

Wtedy zajrzałem do programu ceremonii i zobaczyłem swoje imię na samym dole.

Chłopiec podający obrączki/chłopiec z kwiatami...Manny Heffley
Asystent chłopca z kwiatami...Greg Heffley

Prosimy o nieużywanie lamp błyskowych w kościele.

Próbowałem jakoś się z tego wykręcić i przerzucić swoje obowiązki asystenta chłopca z kwiatami na Benjy'ego, ale mama powiedziała, że Benjy w tym roku odczyta fragmenty z Pisma Świętego, a poza tym ja i Manny mamy dobrane kolorem białe smokingi.

No więc kiedy Rowley szalał na imprezie Jordana Jury'ego, ja nosiłem koszyczek z płatkami róż za Mannym. Zauważyłem, że Rodrick robi mnóstwo zdjęć, toteż byłbym zdziwiony, gdyby jeszcze nie wisiały w sieci.

Po ceremonii ślubnej przeszliśmy do sali z bufetem.

Ale zanim zaczęliśmy jeść, Leonard, świadek pana młodego, wstał i wzniósł toast.

Leonard oświadczył, że chce się z nami podzielić śmieszną historyjką z czasów, gdy wujek Gary i Sonja chodzili ze sobą. Kilka miesięcy temu wujek Gary zabrał Sonję na mecz bejsbola, na którym planował z nią zerwać, żeby móc zacząć się spotykać z jej siostrą.

Ale zanim zdążył przeprowadzić decydującą rozmowę, po niebie przeleciał samolot z transparentem.

Leonard powiedział, że wśród publiczności musiał być jakiś DRUGI gość, który miał dziewczynę o imieniu Sonja. Ale Sonja wujka Gary'ego zareagowała, zanim cokolwiek zdołał jej wytłumaczyć.

Leonard dodał, że wujek Gary chciał wyjaśnić całe nieporozumienie, ale za bardzo się bał, żeby goście, którzy siedzieli naokoło, nie spuścili mu łomotu za to, że sprawił Sonji zawód. No więc postanowił iść za ciosem.

Najpierw myślałem, że ta cała historia to tylko żart, ale wujek Gary jakoś nie zerwał się z krzesła, żeby wszystkiemu zaprzeczyć.

No więc myślę, że w przyszłym roku spotkamy się na PIĄTYM ślubie wujka Gary'ego.

Potem cała rodzina wróciła do domu Buni, żeby się przebrać. Zbierałem swoje rzeczy, kiedy tata wszedł do pokoju i powiedział, że prababcia chce ze mną zamienić kilka słów. Z początku nie mogłem zrozumieć powodu tego spotkania na osobności, ale wtedy sobie uświadomiłem, że chodzi o „Rozmowę".

Idąc do salonu, byłem trochę zdenerwowany, ale też podekscytowany. Bunia niejedno przeżyła i musi mnóstwo wiedzieć. A prawdę mówiąc, trochę rzetelnych informacji bardzo by mi się przydało.

Wszedłem do środka i zamknąłem za sobą drzwi. Bunia siedziała na jakimś wymyślnym krześle, no więc zająłem miejsce naprzeciwko. A kiedy przestałem się wiercić, ona zaczęła mówić.

Bunia powiedziała, że większości moich rówieśników bardzo spieszno do dorosłości, ale jeśli mam trochę rozumu, to będę się cieszył dzieciństwem jak najdłużej.

Słyszałem tę gadkę od mamy i taty chyba z milion razy, więc początek trochę mnie rozczarował.

Ale Bunia dopiero się rozkręcała. Oświadczyła, że zaraz wejdę w „Dziwny Wiek" i że moje usta zrobią się wielkie, cera stanie się paskudna, a głowa zacznie wyglądać jak dynia. Co potrwa prawdopodobnie aż do liceum.

Potem powiedziała, że nie powinienem pozwalać robić sobie zdjęć przez kilka kolejnych lat, bo kiedyś będę gorzko tego żałować. Podobno dała tę radę również tacie, wujkowi Gary'emu i wujkowi Joemu, ale nie posłuchali.

Ale Bunia ciągle JESZCZE nie skończyła. Oznajmiła, że robienie się starszym to nie kaszka z mlekiem i że jak będę miał jej lata, to DOPIERO zobaczę.

A potem weszła na temat „hemoroidów", „półpaśca" i innych rzeczy, o których nigdy wcześniej nie słyszałem. Chyba zauważyła, że czuję się trochę zagubiony, bo zaczęła rolować pończochę, żeby mi zademonstrować, o czym mówi.

Wtedy właśnie przeprosiłem i szybko opuściłem pokój. Cieszę się, że to zrobiłem, zanim Bunia postanowiła zrzucić resztę ciuchów.

Pół godziny później spakowaliśmy nasze rzeczy, wbiliśmy się do samochodu i ruszyliśmy w stronę domu. Byłem niesamowicie szczęśliwy, że mam to już za sobą. Kocham moją rodzinę i tak dalej, tylko że jest bardziej rodzinna, niż mogę to znieść.

Poniedziałek

Dzisiaj w szkole potwornie się nudziłem, bo najwyraźniej wszyscy zostali zaproszeni na tę imprezę Jordana Jury'ego i o niczym innym oczywiście nie mówili.

Najgorzej było na korytarzu starszych klas.

W zasadzie jestem zadowolony, że nie poszedłem. Odkryłem, że Jordan Jury zaprosił młodsze dzieciaki tylko po to, aby zrobić z nich kelnerów.

Dziś wieczorem w wiadomościach ogłosili, kto został nową twarzą Bajecznie Brzoskwiniowych, no i niestety nie jestem to ja. Ale znam zwycięzcę osobiście.

To Scotty Douglas. Mieszka kawałek dalej na tej samej ulicy. Nie pytajcie, jak to się stało, że wygrał. Ten dzieciak nie potrafił nawet wypowiedzieć swojej kwestii na przesłuchaniu.

A ludzie od Bajecznie Brzoskwiniowych powinni byli przeprowadzić wywiad środowiskowy, bo gdyby zobaczyli starszego brata Scotty'ego, zastanowiliby się dwa razy.

Wczoraj wieczorem mama powiedziała, że skończył się pierwszy semestr jej szkoły i że na chwilę zawiesi swoją karierę akademicką „na kołku", żeby spędzić więcej czasu z rodziną. Nie macie pojęcia, jak bardzo się ucieszyłem. To super, że wszystko wróci do normy.

W tym roku po prostu wydarzyło się zbyt dużo naraz, a POPRZEDNI stan rzeczy bardzo mi pasował.

Różne osoby - jak tata czy wujek Joe - wierciły mi dziurę w brzuchu, żebym był bardziej odpowiedzialny i zaczął myśleć na serio o przyszłości. Ale prawda jest następująca: ja mam więcej z wujka Gary'ego.

Uważam, że się nie pali z tym dojrzewaniem.
A odkąd dzięki Buni wiem, co los dla mnie szykuje na najbliższe lata, myślę, że skorzystam z jej rady. Będę odwlekał dorosłość, jak długo się da.

Wtorek

Mówiąc o powrocie do normalności: doszedłem do wniosku, że Rowley i ja powinniśmy puścić ostatnie miesiące w niepamięć.

Ten związek ma naprawdę długą historię i byłoby bez sensu niszczyć go przez jakąś bzdurę.

A szczerze mówiąc, nie bardzo mogę sobie przypomnieć, o co się wtedy pokłóciliśmy.

No więc dzisiaj po szkole poszedłem do Rowleya, żeby zobaczyć, co on na to. Tak się ucieszył, że to aż żenujące.

Rowley zapytał, czy znów będziemy „najlepszymi przyjaciółmi do grobowej deski", i wręczył mi tę połówkę medalika, do której noszenia zawsze usiłował mnie zmusić.

Powiedziałem, że medalika nie będę nosił, bo to coś dobrego dla dziewczyn. Ale naprawdę zaniepokoił mnie tą „grobową deską". Powiedziałem mu, że najpierw możemy poprzyjaźnić się przez miesiąc na próbę, i wyglądał na zupełnie zadowolonego z takiego rozwiązania.

Jeszcze jedno. Rowleyowi przybyły od lata prawie cztery centymetry, więc KTO WIE, jak wielki będzie kiedyś ten dzieciak.

To chyba niezła myśl, żeby się go trzymać, przynajmniej do czasu gdy pójdziemy do liceum. Bo jeśli dalej będzie rósł tak szybko, należy do osób, którymi warto się otaczać.

PODZIĘKOWANIA

Dziękuję wszystkim wielbicielom serii *Dziennik cwaniaczka* za to, że spełnili moje marzenie o rysowaniu komiksów.

Dziękuję rodzinie za nieustającą miłość i wsparcie. Bez niej to nie byłoby aż tak zabawne doświadczenie. Dziękuję Mamie i Tacie za to, że zawsze wierzyli we mnie i we wszystkie swoje dzieci.

Dziękuję pracownikom wydawnictwa Abrams za wielką troskę i dbałość o szczegóły przy pracy nad tymi książkami. Szczególne podziękowania należą się mojemu redaktorowi Charliemu Kochmanowi, specjaliście od promocji Jasonowi Wellsowi, dyrektorowi artystycznemu Chadowi W. Beckermanowi oraz dyrektorowi wydawniczemu Scottowi Auerbachowi. A także Michaelowi Jacobsowi, który uwierzył, że cwaniaczek potrafi fruwać.

Dziękuję również Patrickowi za wysłuchiwanie zwierzeń i podkręcanie piłeczki humoru. Dziękuję Jessowi za przyjaźń i wskazówki. Dziękuję Shaelyn za niezmordowaną pracę nad tą książką.

Dziękuję ludziom z Hollywood, którzy dali z siebie wszystko, aby powołać świat z „Dziennika cwaniaczka" do życia, a zwłaszcza Ninie, Bradowi, Carli, Rileyowi, Elizabeth, Nickowi, Thorowi i Davidowi. A wreszcie wielkie dzięki dla Sylvie i Keitha za pomoc i wskazówki.

O AUTORZE

Jeff Kinney jest twórcą internetowych gier komputerowych oraz serii książek *Dziennik cwaniaczka*, numeru jeden na liście bestsellerów „New York Timesa". W 2009 roku czasopismo „Time" umieściło go wśród Stu Najbardziej Wpływowych Ludzi Świata. Jeff stworzył również portal www.poptropica.com. Dzieciństwo spędził w Waszyngtonie, a w 1995 roku przeniósł się do Nowej Anglii. Obecnie z żoną i dwoma synami mieszka na południu Massachusetts, gdzie otworzył księgarnię An Unlikely Story.

Wydawnictwo NASZA KSIĘGARNIA Sp. z o.o.
05-075 Warszawa-Wesoła, ul. Apteczna 6
e-mail: naszaksiegarnia@nk.com.pl
tel. 22 643 93 89

Sprzedaż wysyłkowa: tel. 22 641 56 32
e-mail: sklep.wysylkowy@nk.com.pl

www.nk.com.pl

*Książkę wydrukowano na papierze
Creamy 70 g/m^2 wol. 2,0.*

Redaktor prowadząca *Joanna Wajs*
Opieka merytoryczna *Magdalena Korobkiewicz*
Redakcja *Adam Pluszka*
Redakcja techniczna *Joanna Piotrowska*
Korekta *Monika Hałucha-Adamko*
Skład i łamanie *Mariusz Brusiewicz*

ISBN 978-83-10-13900-9

PRINTED IN POLAND

Wydawnictwo „Nasza Księgarnia", Warszawa 2022 r.
Druk: POZKAL, Inowrocław